CB067903

seg · qui

11h

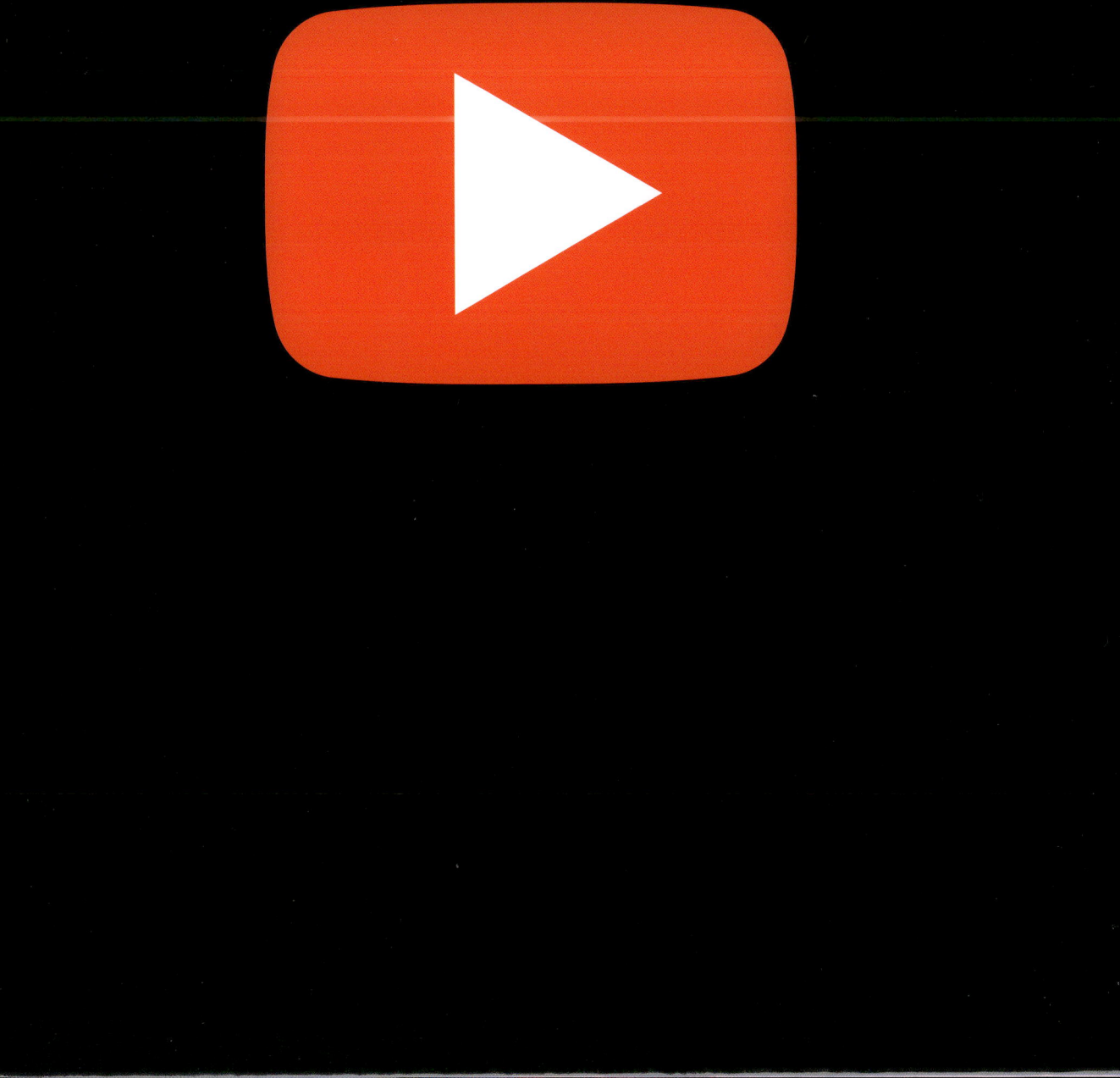

SEXTANTE

PORTA DOS FUNDOS

8 ▶	Introdução
12 ▶	**Traveco da firma**
18 ▶	**Batman: The Dark Knight Erects**
26 ▶	**Spoleto**
30 ▶	**Modelo vivo**
36 ▶	**Superávit**
42 ▶	**KKK**
48 ▶	**Minuto da marmota**
56 ▶	**Sobre a mesa**
62 ▶	**Setor de RH: Supergêmeos**
68 ▶	**Cancelamento**
74 ▶	**Robin**
78 ▶	**Assembleia geral**
84 ▶	**Setor de RH: Jesus**
90 ▶	**Brainstorm**
96 ▶	**Término de namoro**
102 ▶	**Ciclo da vida**
110 ▶	**Nome do bebê**
116 ▶	**Teste pra Saci**
122 ▶	**Trago a pessoa amada**

- 128 ▶ **Barata no banheiro**
- 134 ▶ **Com quem será?**
- 138 ▶ **Taxista**
- 142 ▶ **Na lata**
- 146 ▶ **Entrevista**
- 152 ▶ **Village People**
- 158 ▶ **Dez Mandamentos**
- 166 ▶ **Batalha**
- 172 ▶ **Voyeur**
- 178 ▶ **Confessionário**
- 184 ▶ **Casamento**
- 188 ▶ **Log out**
- 194 ▶ **Amante**
- 200 ▶ **Deus**
- 206 ▶ **Quem manda**
- 212 ▶ **Entrevista de emprego**
- 218 ▶ **Arca de Noé**
- 224 ▶ **A vida como ela é**

- 232 ▶ Fundos da Porta

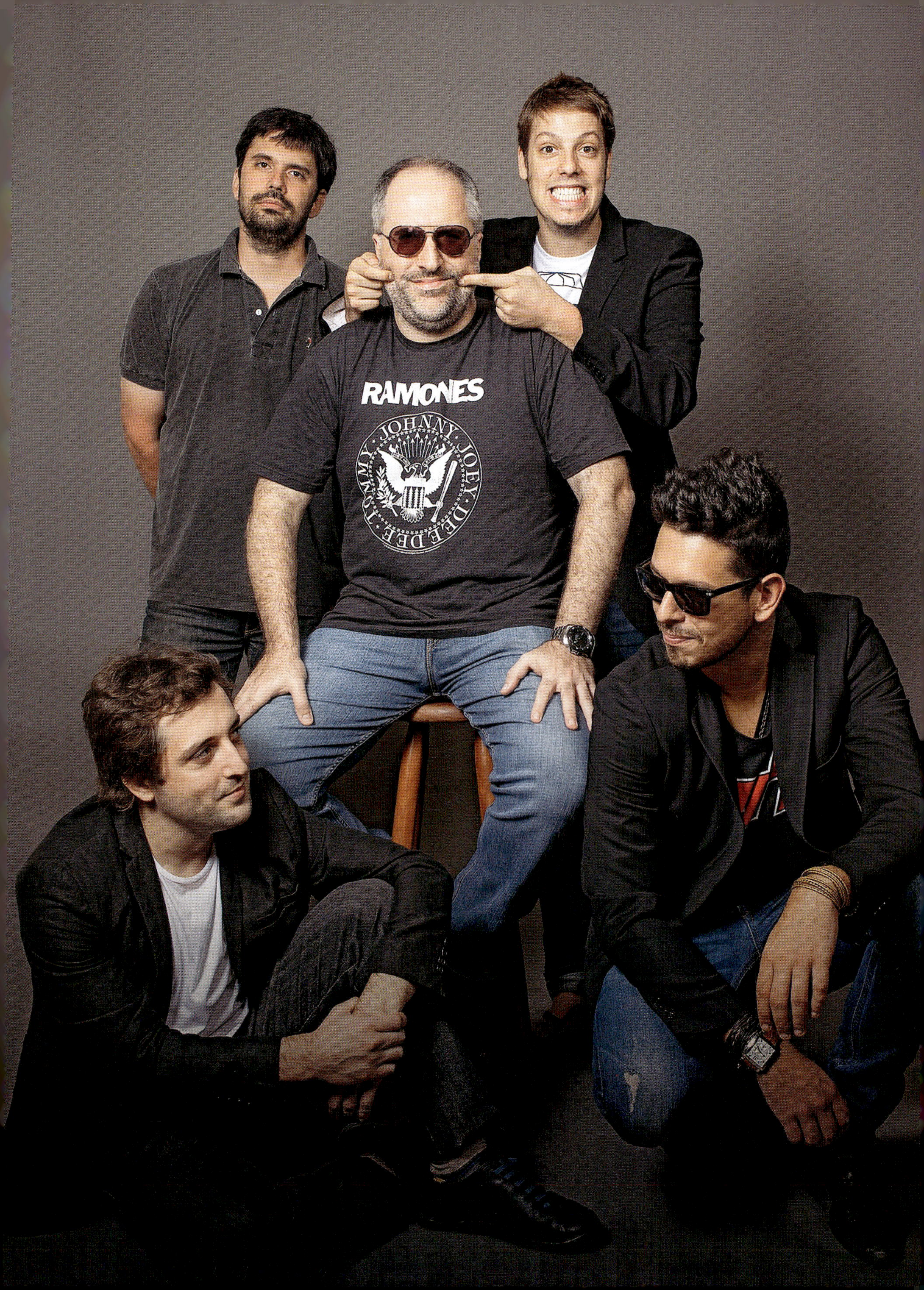
RAMONES
JOHNNY JOEY DEE DEE TOMMY

INTRODUÇÃO

Porta dos Fundos é um coletivo criativo criado por amigos e para amigos. Simples assim. A ideia de sair da TV e migrar para uma mídia na qual seríamos nossos próprios editores, chefes e velhinhos que censuram baseados na moral e nos bons costumes — que pregam mas não colocam em prática — parecia bastante atraente e promissora. E foi. Hoje os profissionais envolvidos no Porta dos Fundos estão mais felizes porque são (vejam só!) amadores. Mas amadores na essência, porque amamos fazer o que fazemos.

E depois de um ano de muita alegria, diversão e altas confusões, essa turminha animada virou livro. Colocamos o preto no branco — nem tanto, o livro é bem colorido — e o Porta dos Fundos agora pode ter alguns dos seus roteiros lidos na rua, na chuva, numa casinha de sapê, no Spoleto ou até na academia entre um urso e outro. Ah! Optamos por incluir nos textos originais os sempre providenciais improvisos do elenco.

Durante muito tempo a internet foi território dos virais involuntários. Bêbados em porta de delegacia dividiam espaço com vídeos de âncoras cometendo gafes e gatos caindo do sofá (eventualmente, surgia um bêbado caindo do sofá). Acreditava-se que era preciso ser involuntariamente cômico para funcionar. Os poucos virais voluntários consistiam em adolescentes dando opinião em frente à webcam (cuja comicidade não foi ainda explicada).

O Porta surgiu no momento em que se começou a perceber que um produto para a internet não precisa ser necessariamente tosco. Ou involuntário. O povo da internet não é diferente do resto do povo: ele quer qualidade.

Cada um dos textos presentes aqui passou por uma equipe de redatores perfeccionistas, frescos e mimados, e foi reescrito pelo menos uma vez. Nunca filmamos nenhum roteiro que não passasse por esse crivo. Na maioria das vezes, é bem divertido. Mas quando uma ideia é atacada com fervor, as reuniões podem ser intermináveis.

E, na hora do set, o trabalho continua. A pergunta que a gente mais faz é: "Isso tá realmente engraçado?" Quando não tá, alguém diz: "Não tá." E o vídeo, mesmo que já tenha sido produzido, filmado ou editado, não vai ao ar. A gente aprendeu a jogar fora. Em compensação, o que você vê no nosso canal a gente ama. E, se atacarem, a gente vai defender com unhas e dentes.

Quando alguém não gosta de um vídeo e diz que vai nos processar, a gente tem a consciência tranquila. Lembramos das reuniões intermináveis e de como foi difícil chegar àquele texto do vídeo. Quem não gosta só pode ser uma pessoa muito sozinha que está querendo atenção (ou rola). Ou seja, aqui neste livro há gargalhadas, tempo, amor e orgulho. E tudo isso para vocês, que são nossos amigos. 🏃

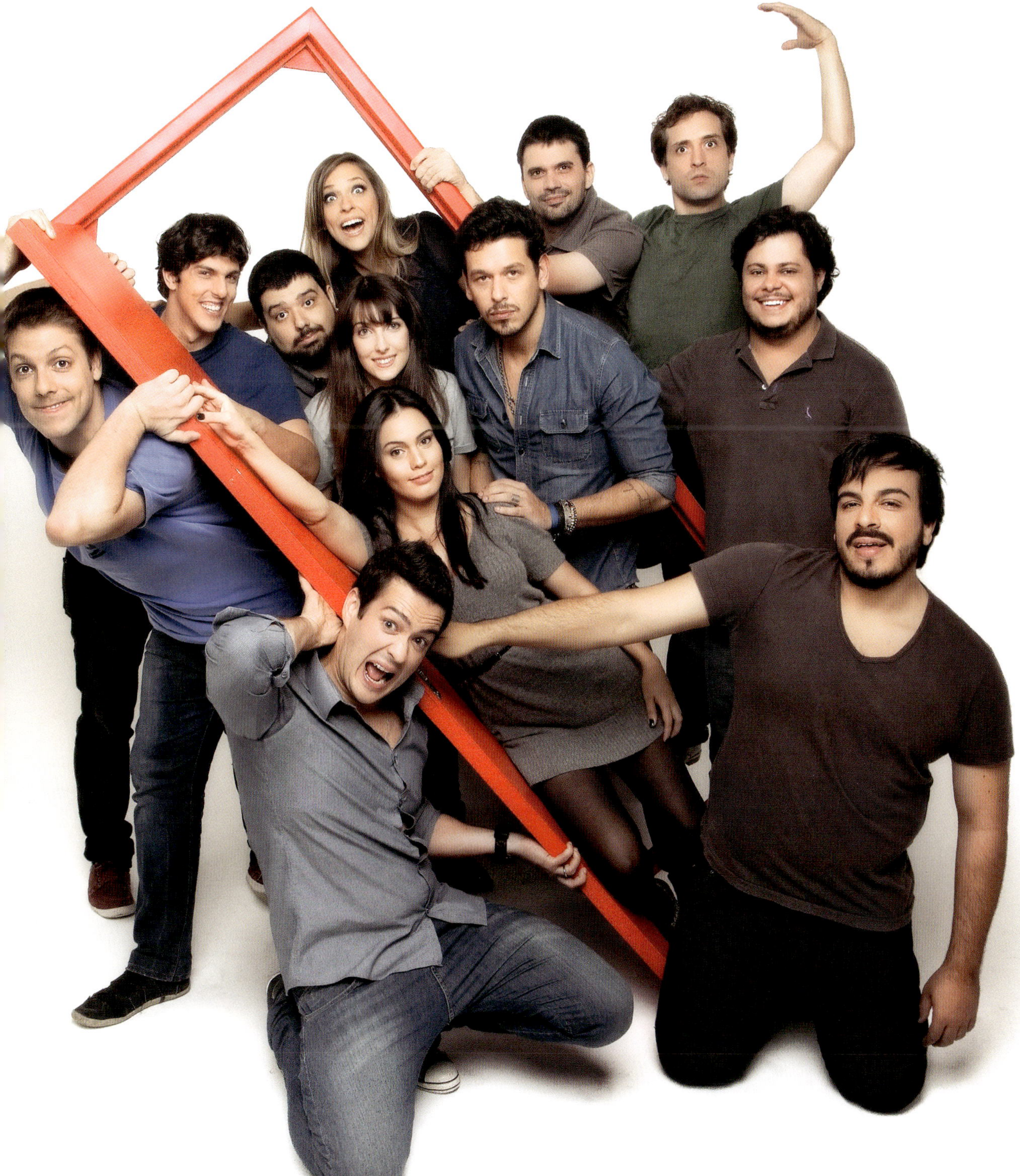

TRAVECO DA FIRMA

roteiro ▶ **Gregorio Duvivier & Ian SBF**

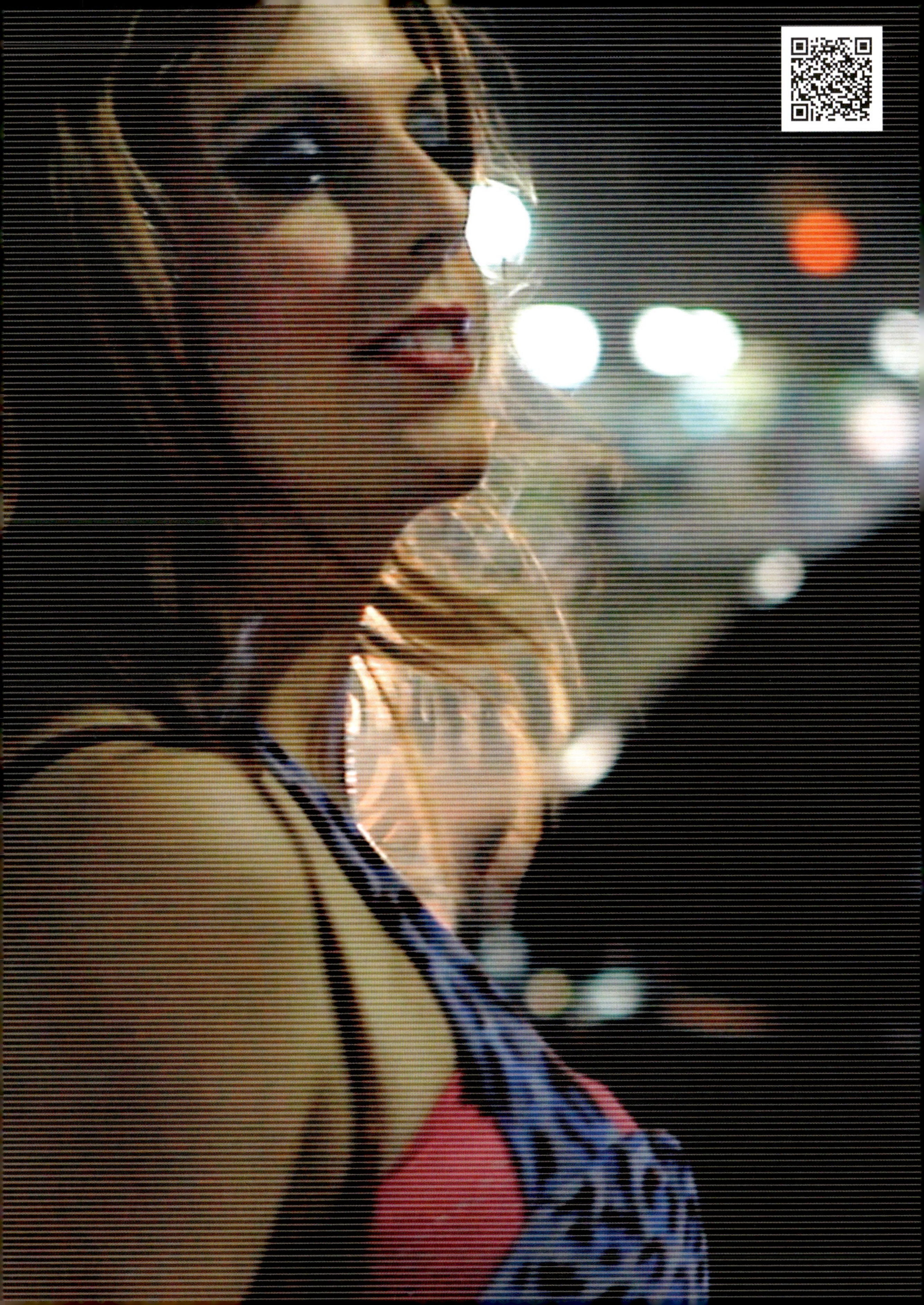

> **T**ODA VEZ QUE ME DEPARO com um travesti se prostituindo — e no Rio de Janeiro, onde moro, isso é bem comum — eu me pergunto se não é algum amigo passando dificuldades. Tenho todo tipo de amigos e não me espantaria se encontrasse um ex-colega de teatro trabalhando na noite.
>
> A vida não está fácil. Alguns amigos têm filhos — e o biscoito Negresco custa os olhos da cara. Esse vídeo tá aí pra lembrar que todos nós estamos muito próximos de rodar a bolsinha. Mais precisamente, o que nos separa da prostituição é um pacote de Negresco.
>
> — G.D.

(Madrugada na orla de Copacabana, carros passam pela Avenida Atlântica. Um travesti se posiciona na calçada. Um táxi passa buzinando e ele manda um beijo. O travesti continua marcando ponto até que um carro encosta. A janela abre devagar. Jorge, que está ao volante, fica surpreso ao reconhecê-lo.)

    JORGE   — Maurício?

(O travesti reconhece Jorge, vira para o outro lado e tenta disfarçar, se afastando do carro.)

    JORGE   — Maurício? Maurício, volta aqui! Sou eu, Jorge.

(O travesti faz uma voz toscamente feminina.)

    MAURÍCIO   — Não sei do que você tá falando, não, meu amor!
    JORGE   — Maurício, sou eu, Jorge, da firma! Para a palhaçada que sou eu!
    MAURÍCIO   — Eu trabalho aqui, sua louca!
    JORGE   — Que porra é essa, Maurício?

(O travesti desiste de fingir, vai na direção do carro e fala com sua voz de homem, puto.)

    MAURÍCIO   — Não me explana, não, porra! Hein?! Fica quieto, porra!

JORGE — Maurício, você não tá enganando ninguém de travesti aí.

MAURÍCIO — É o caralho! Tá chovendo cliente aqui, ó. Aqui, ó *(bate na bunda)*. Tá comendo muita gente aqui!

JORGE — Maurício... Maurício, você tá se prostituindo, cara? Você virou puta?!

MAURÍCIO — Nunca precisou de dinheiro, não? Tu nunca precisou de dinheiro na vida?

JORGE — Não nesse nível.

MAURÍCIO — Tô devendo quinze meses de condomínio. Quinze meses! E não é condominiozinho qualquer, não! É piscina, porteiro 24 horas, tem quadra de squash, pista de atletismo... Minha filha quer fazer inglês. Agora pergunta se é Wizard? Não! É Cultura Inglesa! E o menorzinho quer comer Negresco! *(alterado)* É Negresco! "Você quer comer o quê?" É Negresco! Você dá uma rosquinha Mabel pra ele jogar na tua cara e falar: "Papai, quero comer Negresco!" Agora faz as contas... *(vai se afastando)*

JORGE	— Maurício, volta aqui! Parou. Pelo amor de Deus! Sou teu amigo, cara. Humano. A gente assistia *Rin Tin Tin* junto. Podia ter me pedido um dinheiro emprestado…
MAURÍCIO	— Podia pedir… Podia?!
JORGE	— Não podia porque eu tô fodido… Mas, é… entendeu?
MAURÍCIO	— Mas isso é o que eu tô te falando! Você tá fodido, precisando de um dinheiro? Aqui é o lugar!

JORGE	— Você tá louco?! Só você é capaz de fazer uma loucura dessa!
MAURÍCIO	— Só eu?! Tu que acha… Sabe o Marquinho do RH?
JORGE	— O vascaíno?
MAURÍCIO	— Ele que me trouxe! Olha ele ali, ó. *(vemos um outro travesti marcando ponto)* De meia arrastão. É ele, sim! É porque não parece. E atrás dele é o Chico do Marketing. Ali o Chico. Chico! *(vemos Chico marcando ponto)* Dá um oi aqui pra gente! *(Chico sorrindo acena na direção deles)* É o Menezes! Vem cá!

JORGE (*desesperado, contendo Maurício*) — Shiiiiu! Para! Não é possível que seja o Chico!
MAURÍCIO — Aliás... Se você veio procurar uma coisinha maneirinha (*gesticula, insinuando sexo*), eu diria que Chico é a tua pedida. Dizem que o Chico tem uma boquinha de veludo... Eu não sei. Mas é rodado. Ele estar aqui é sorte tua. (*vira-se para Chico*) Ô, Chico! Cliente!
JORGE (*desesperado, puxando Maurício*) — Para, para! Já perdi o tesão, já perdi a vontade. Me despertou em casa um negócio de desejo, por isso eu vim. Mas agora já passou!

(*Maurício olha para Jorge, tentando ser sexy. Ele passa a língua pela boca por dentro da bochecha. O resultado é o oposto da intenção.*)

JORGE — Maurício, para! (*Maurício segue cortejando o amigo*) Maurício, que é isso?! Maurício, sou eu. Sou eu!
MAURÍCIO (*puto*) — Não vai me explanar, hein? Não vai me explanar, porra!
JORGE — Não, não explano, não!
MAURÍCIO — Olha pra minha cara!
JORGE — Não explano, não!
MAURÍCIO — Olha só, que eu te explano também! Eu sei o que você veio fazer aqui!
JORGE — A gente é time. Ninguém explana o outro.

(*Eles se cumprimentam.*)

MAURÍCIO — Agora vaza que eu tenho muito Negresco pra comprar.
JORGE — Maurício, vem cá. Que horas é a reunião amanhã?
MAURÍCIO — Oito horas, porra!
JORGE — E os relatórios?
MAURÍCIO (*mostra uma bolsa*) — Aqui, porra! Tá tudo aqui que eu preciso! 🏃

BATMAN:
THE DARK KNIGHT ERECTS

roteiro ▶ **Antonio Tabet & Ian SBF**

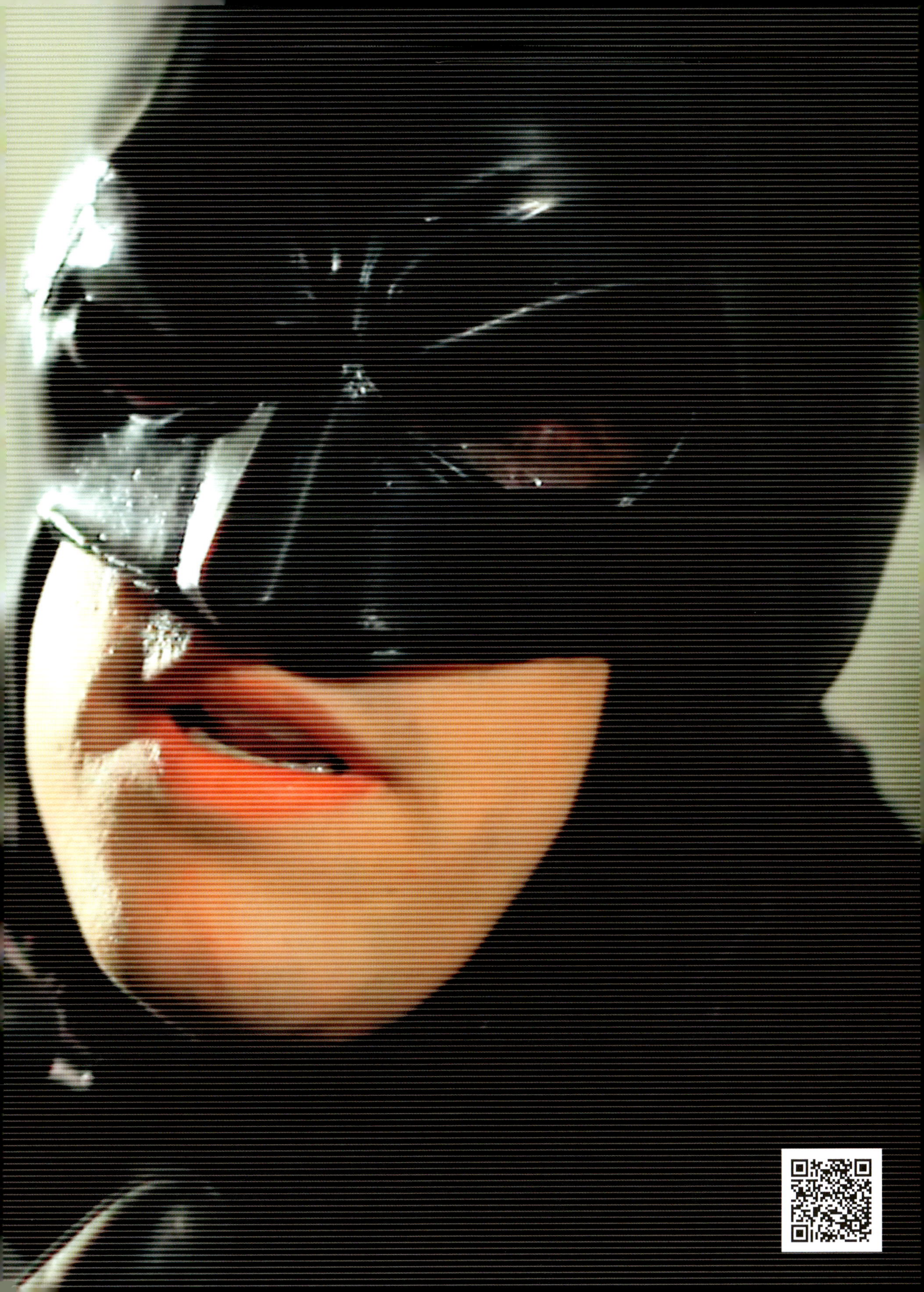

O **TÍTULO DESTE VÍDEO** deve ser o pior de todos os feitos até hoje pelo Porta dos Fundos — e, infelizmente, a culpa é minha. Achei que poderia atrair espectadores estrangeiros por causa do lançamento, mais ou menos na mesma época, do último filme do Batman. No final, só nos restou um péssimo título mesmo. Nada que tenha nos incomodado muito, pois ainda estávamos descobrindo o que seria esse novo canal.

Quando estou trabalhando nos roteiros, gosto muito de mostrar "o que ninguém viu" ainda. Em textos históricos ou de HQ, isso funciona muito bem. Ninguém imagina, por exemplo, um processo seletivo pra Robin… ou até mesmo pra Batman. Isso nunca aconteceu, é claro, pois não existem nem Robin nem Batman. Então, sendo assim, podemos assumir que essa seria a versão oficial do que nunca aconteceu… — I.S.

(Na sala de um apartamento, um pai de família, de camiseta branca e cueca samba-canção, assiste à televisão. Toca a campainha.)

  PAI *(berrando)* — Puta que pariu! O porteiro nunca toca o interfone, caralho…

(Ele abre a porta e não vê ninguém. Batman aparece atrás dele.)

  BATMAN — Oi!
  PAI *(assustado)* — Que porra é essa?
  BATMAN — Eu sou o Batman.
  PAI — Tá… E o que você está fazendo aqui? É por causa da multa? *(grita para o corredor)* Maria Eduarda, você pagou a multa?!
  BATMAN — Não, eu vim falar sobre o Guguinha.
  PAI — Quem?
  BATMAN — O seu filho…
  PAI — O Gustavo?! O que tem o Gustavo? E da onde que você conhece o Gustavo?

(Pai e Batman sentam no sofá.)

BATMAN — Nós temos um sistema, muito parecido com um banco de dados, que capta todas as informações de uma pessoa: com quem ela anda, aonde ela vai, o que está fazendo, do que ela gosta, do que não gosta, as fotos dessa pessoa…

PAI — Peraí… Você tá de papo com o Gustavo no Facebook?

BATMAN *(se exalta)* — Não… não… não é isso! Tá vendo? Não é porque nós utilizamos uma ferramenta como o Orkut, por exemplo, que isso diminui o valor da nossa investigação… É um sistema como qualquer outro… Não é porque você não entende de tecnologia que pode falar um absurdo desses…

(Pai olha desconfiado. Batman se recompõe.)

BATMAN — Olha, nós temos um programa de estágio, tá certo? Que é *(enche a boca)* muito procurado. A gente recebe bastante currículo e eu acho que o Guguinha...

PAI *(corrigindo)* — Gustavo.

BATMAN — Gustavo, claro, Gustavo... Acho que o Gustavo tem bem esse perfil...

PAI *(grita para o corredor)* — Gustavo, vem aqui! *(pro Batman)* Me explica esse programa de estágio...

BATMAN — É como se fossem os escoteiros... só que muito mais intenso. Muito mais. E a roupa... é diferente...

PAI — Diferente como?

BATMAN — Os escoteiros usam um short, um chapeuzinho, de repente, ornando, né? Uma camiseta meio cobrindo o dorso, não revelando muito. No nosso caso, seria um collant, bem apertado, justo, assim, pressionando realmente, uma cueca verde por cima de uma meia-calça toda definida e uma sapatilha bem confortável...

PAI — A roupa é essa, então?!

BATMAN — É, assim... Se ele quiser uma capa, ele pode ter uma capa, tá? Eu abro mão da capa, sou flexível com a capa... Quer uma capa? Pode usar capa... eu mesmo uso uma capa... Agora, cueca verde, essa tem que ter. É padrão, né?

PAI — Padrão...?

BATMAN — Todos os meninos usam...

PAI — Meninos?! Tem mais meninos?! *(gritando para o filho)* Gustavo!!! Vem aqui, caralho!!! Que meninos?! O que é isso, Menudo?

BATMAN — Não... É esquema de rodízio, tá certo? Aí, quando o jovem chega a uma certa idade, aí não dá mais pra continuar no negócio...

PAI — Que idade?

BATMAN — Entre 13 e 14... é o que a gente quer. É o que a gente procura. Realmente, depois disso perde a graça um cara de collant andando na rua... Pode acreditar, a gente já tentou. Tentamos de várias idades...
PAI *(consternado)* — Então o último saiu porque ele tava velho demais?
BATMAN — Não, o último morreu. Mas, por acaso. Foi erro nosso, tá? Nós erramos. Realmente, eu assumo pra mim...

(Gustavo chega.)

PAI — Gustavo! Você conhece esse cara?
GUSTAVO — Sim... é o Bruce...
BATMAN — Baaaat...
GUSTAVO — É o Batman... Que que tem?
PAI — Você sabia que o último garoto que trabalhou com ele morreu?
BATMAN — Não, também não é assim! Peraí, isso não vai acontecer com ele, foi um erro meu que jamais aconteceria com uma pessoa com a estrutura óssea como a de Guguinha. Percebe aqui, ó! *(pega nos ombros de Gustavo)* Olha este ombro largo, hein... *(bate no peito do garoto)* Este peitoral gostoso aqui, ó, bacana... firme, né, Guguinha?

	Olha esta coxa *(aperta a coxa dele)*, olha esta coxa tenra aqui, ó, olha esta parte interna da coxa! Nessa idade eu não tinha uma coxa desta não. *(pega a mão de Gustavo)* Sente aqui, Guguinha, sente minha coxa… isso… exatamente! *(abraçando o garoto)* Me pega no colo, vai, me levanta…
PAI	— Peraí! Vai machucar o menino!
BATMAN	— Machuca nada! Faz isso toda semana! Vamo, me pega no colo! Vamo lá que vou te cobrir com a capa!

PAI	— Tá, tá bom, chega, já entendi… Gustavo, tira a mão daí…
BATMAN	— Tá ótimo, Guguinha, tá ótimo. Ótimo trabalho. Então é isso. Fechado? *(estende a mão na direção do pai)*
PAI	— Não, não, não! Você quer vir na minha casa, pegar o meu filho de 13 anos, levar ele daqui, botar um collant nele, pra quê? Pra ele te pegar no colo?! Qual é o objetivo disso?
BATMAN	*(gaguejando)* — Ué! Nós vamos… nós vamos lutar contra o crime…
PAI	*(incrédulo)* — É?! Como?
BATMAN	— Ué, nós vamos… Olha só! Tá bom, agora chega! Eu acho que eu tô oferecendo uma proposta bastante razoável pra você, tá certo?

Eu sou o Batman, tá? Eu vim aqui, o Guguinha me pediu pra falar com o senhor pessoalmente. Então eu tô aqui pra falar... eu tô fazendo uma oferta que muita gente ia querer! Muita gente. São poucas vagas, a relação candidato/vaga é muito maior do que pra Medicina na USP. É isso. Tá certo? Guguinha?

(O pai olha pro garoto, pensativo.)

PAI — Gustavo... Você quer isso?
GUSTAVO *(hesitante)* — Quero.
BATMAN *(comemora)* — Claro que quer, Guguinha! Claro que quer!
PAI — Então escolhe... É isso ou Disney no fim do ano. As duas coisas eu não tenho condição.

(Gustavo pensa por alguns segundos. Olha pro Batman com cara de "não vai rolar".)

BATMAN — Não, Guguinha... A gente falou sobre a Disney... Olha só. Tá bom, não precisa decidir agora... pensa, leva isso pro travesseiro, pensa bastante. Se decidam, temos um prazo bom de uns cinco dias úteis, tá? E aí... *(surpreso)* Meu Deus, o que que é aquilo ali?

(Gustavo e o pai se viram pra olhar. Quando voltam à posição anterior, o Batman já não está mais lá. Porém, ao olhar com mais atenção, o pai vê a silhueta do Batman atrás da cortina.)

PAI *(impaciente)* — Gustavo... Eu vou ao banheiro... Se, quando eu voltar, seu amigo ainda estiver aí, eu vou ligar pra polícia. Dá teu jeito.

(O pai sai. Vemos a silhueta agitada do Batman por detrás da cortina tentando sair.) 🏃

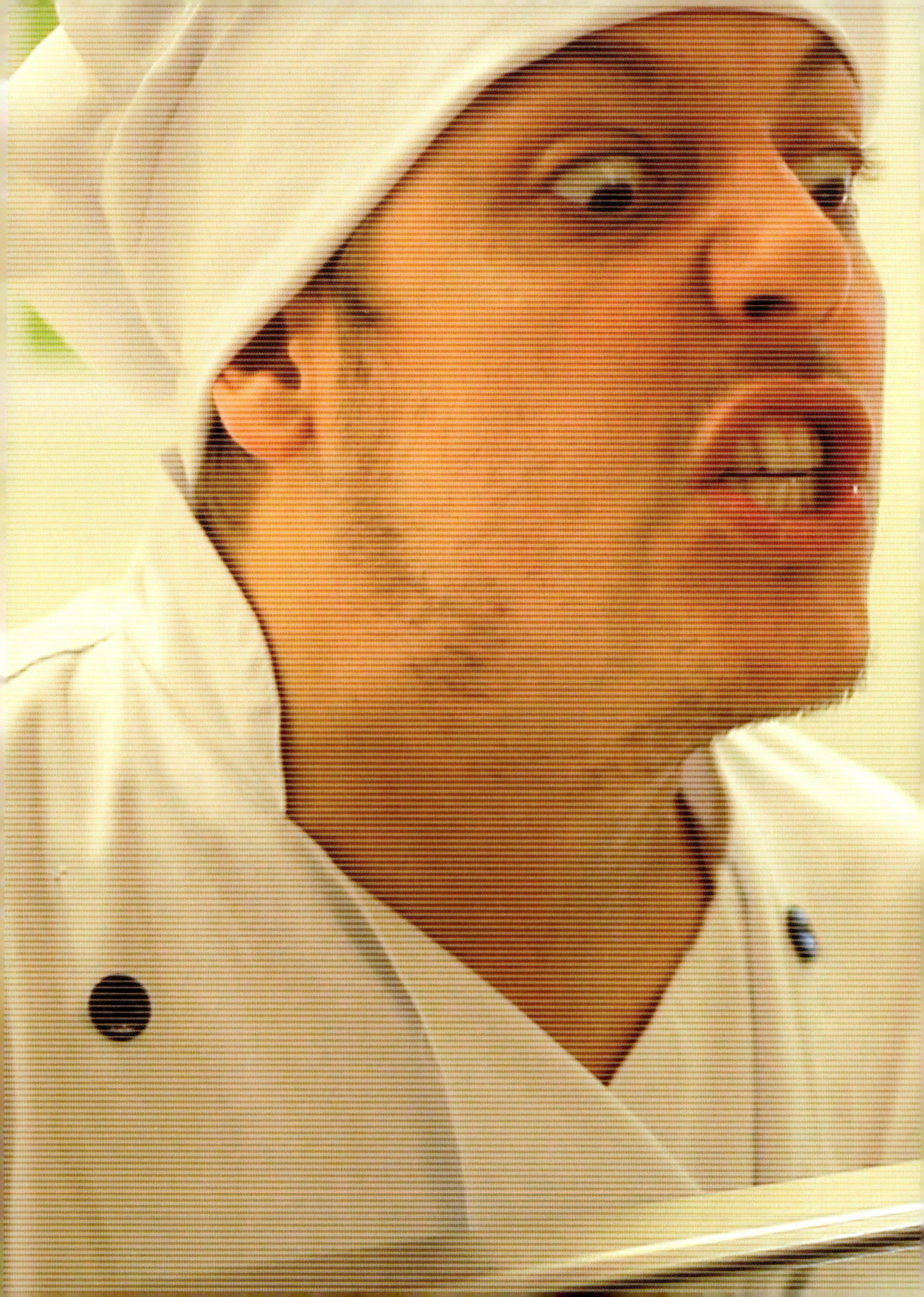

SPOLETO

roteiro ▶ Fábio Porchat

ESTE FOI O PRIMEIRO VÍDEO que eu escrevi pro Porta dos Fundos e nosso primeiro estouro de mídia também. Tentamos gravar o esquete em uma filial do Spoleto, mas não deixaram. Fizemos em outro lugar e o título original era "Fast-food". Quando estourou, o Spoleto veio atrás da gente querendo patrocinar o vídeo e encomendou outros dois.

Foi a nossa grande virada: um, porque entrou dinheiro; dois, porque acordou as empresas para um tipo de propaganda que elas não imaginavam que seria possível ou que daria repercussão; e três, pela forma como o público nos comprou.

Comer em lugares assim, com muita fila e esquema fast-food, dá um desespero. Mesmo que a pessoa tenha ficado na fila um tempão, na hora ela trava. Todo mundo sabe disso. A identificação do público com esse vídeo foi uma das maiores. Até hoje me chamam de palmito na rua!

— F.P.

(Fila no Spoleto. Cliente da vez está bem nervosa. Atendente é rápido.)

CLIENTE — Bom dia!
ATENDENTE — Bom dia.
CLIENTE — Eu queria o penne.
ATENDENTE *(grita para cozinha)* — Penne! *(colocando a massa rapidamente na água fervente)* Molho?
CLIENTE — Eu queria molho de tomate...
ATENDENTE — Acompanhamento?
CLIENTE — Eu queria milho.
ATENDENTE *(jogando o ingrediente na panela de modo rude)* — Milho. Que mais?
CLIENTE — Pres...
ATENDENTE — Presunto. Que mais?
CLIENTE — Presunto...
ATENDENTE — Isso. Milho, presunto. Que mais?
CLIENTE — É... calma!
ATENDENTE — Fala! O que mais você quer? Quer mais o quê? *(gritando)* Fala! Vambora!
CLIENTE — Calma! É... pimentão.
ATENDENTE — Que mais? Vambora!

CLIENTE — Ai, meu Deus! Odeio pimentão...
ATENDENTE — Fala.
CLIENTE (*nervosa*) — Calma! Tô pensando!
ATENDENTE — Fala! O que mais você quer?
CLIENTE — Eu quero palmito!
ATENDENTE — Aaah! Quer palmito?! (*joga palmito na panela e na cliente*) O que mais você quer?! (*gritando*) Fala!
CLIENTE — Mais palmito.
ATENDENTE — Quer mais palmito?! Toma aqui mais palmito! (*joga palmito na cliente*) Fala o que mais que você quer!!!
CLIENTE — Tomate.

ATENDENTE — Fala tomate! Fala tomate!
CLIENTE (*desesperada*) — Tomate!
ATENDENTE — Faltam dois! Fala logo! (*dá tapa na cara da cliente*) Fala o que você quer, vagabunda!
CLIENTE — Ervilha! Eu quero ervilha!
ATENDENTE — Quer mais o quê, porra!? Vambora!
CLIENTE (*chorando*) — Eu só queria almoçar...
ATENDENTE — Ninguém mandou você vir almoçar no inferno, porra! Termina! Vai! (*aos berros*) Pede, pede, pede, pede, pede!
CLIENTE (*sentada chorando no chão*) — Azeitona...
ATENDENTE — Azeitona... (*joga azeitona na panela, mistura tudo e coloca o macarrão no prato*) Próximo! 🏃

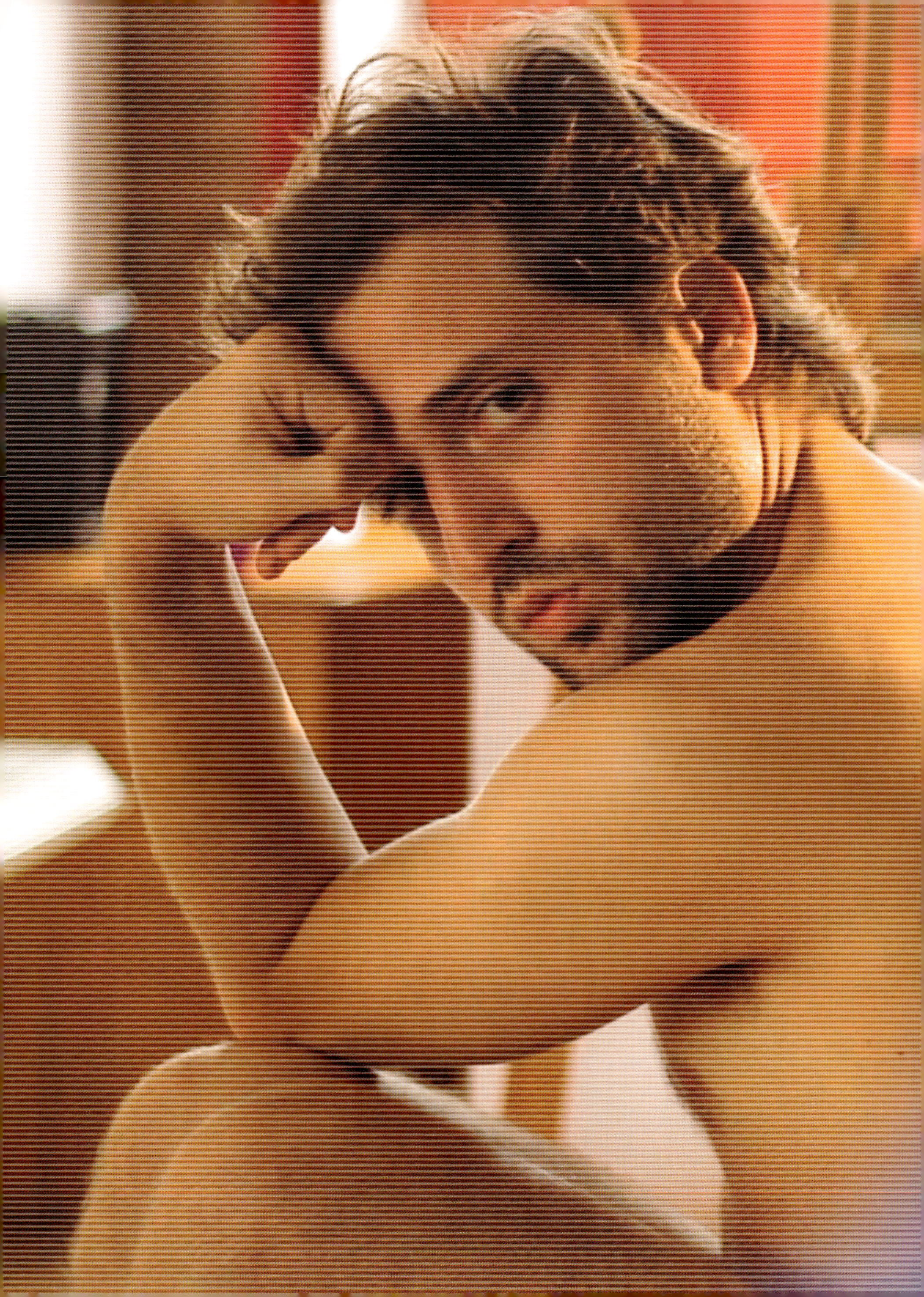

MODELO VIVO

roteiro ▶ Ian SBF

"**M**ODELO VIVO" É UM ROTEIRO que se estrutura completamente sobre o constrangimento. Se analisarmos cada elemento dele, vemos a potencialização máxima da vergonha alheia. É um humor muito inglês, em que colocamos as pessoas em situações estranhas e muitas vezes malucas.

Todos os integrantes do Porta dos Fundos têm em comum esse gosto pelo humor de situação. Em vez de rirmos do personagem ou com ele, rimos da cena em que ele foi colocado, dos problemas que terá que enfrentar no esquete.

Esse é um dos motivos principais de não termos atores que servem de "escada" para outros no Porta. É claro que a interpretação bizarríssima do Gregorio como modelo vivo só ajudou. Mas, na maioria das vezes, o humor está justamente na cara do Rafael Infante, o aluno abismado com essa figura ridícula à sua frente, pedindo que ele toque na sua verruga mole. — I.S.

(O professor berra do canto da sala para os alunos.)

PROFESSOR — Vamo começar, gente? Traz o primeiro menino, o cabeçudinho, traz!

(Entra o modelo de roupão. Ele se posiciona no centro da sala e tira o roupão, ficando nu diante dos alunos de artes plásticas. O professor grita a posição que o modelo deve fazer.)

PROFESSOR — Primeira posição… Vamos fazer *O Pensador*, de Rodin.

(O modelo faz a pose. Fábio, um dos alunos, se prepara para desenhá-lo.)

ESTÁTUA — Oi.
FÁBIO *(meio constrangido)* — Opa…
ESTÁTUA — Desculpa… Acho que eu não devia falar, né?
FÁBIO — Acho que não, cara. Ninguém falou nada comigo sobre você falar. Acho melhor não, né?

ESTÁTUA — Tá bom... (*passa os dedos na boca indicando silêncio*) É a sua primeira vez?
FÁBIO — É...
ESTÁTUA (*continua depois de uma pausa*) — Desculpa, é que eu fico meio nervoso quando tenho que vender o meu corpo por dinheiro...
FÁBIO — Nãããão! Não é bem isso que você tá fazendo, né? Você não tá vendendo o corpo... Você não tá tipo vendendo, vendendo. Você tá aqui...
ESTÁTUA — Tô, cara. Eu estou pelado. As pessoas tão desenhando o meu corpo... Eu tô vendendo o meu corpo por dinheiro. (*começa a chorar*) Eu tô ganhando menos que um cobrador de ônibus, cara!

(*Estátua chora.*)

FÁBIO — Olha só, vamo parar? Vamos parar isso aqui, acho melh...
ESTÁTUA — Continua! Continua desenhando, cara! Tá maluco?! (*sussurrando*) Se você parar de desenhar, eles não me pagam!
FÁBIO — Desculpa! Não sabia mesmo...
ESTÁTUA — Continua desenhando... (*choraminga*)

(*Fábio continua desenhando e o cara continua chorando. O modelo tenta disfarçar, mas segue com um choro preso. Fábio tenta desenhá-lo.*)

FÁBIO — Querido, olha só, é que você tá tremendo um pouquinho...
ESTÁTUA — Desculpa... Desculpa... (*se segurando*) Eu vou tentar chorar sem tremer...
FÁBIO — Também não precisa ficar pedindo desculpas, não...
ESTÁTUA — Eu vou tentar chorar sem ficar pedindo desculpas...

(*Há um breve silêncio.*)

ESTÁTUA	— …desculpa…
FÁBIO	— Vamo parar? Mesmo? Eu falo que estou com cãibra na mão…
ESTÁTUA	— Não. Tá maluco, porra?! Você quer me foder?! Desenha… Quero ouvir o barulho do lápis… Vocês não sabem o que eles fazem com a gente por aqui, cara… (*choramingando*) Este mercado é horrível! Preciso fazer dinheiro, caralho!

FÁBIO	— Quanto é? Eu pago.
ESTÁTUA	— Queria falar nada, não… mas acho que eu tô morrendo.
FÁBIO	— Agora?!
ESTÁTUA	— De câncer…
FÁBIO	— Que isso, cara?
ESTÁTUA	— Jayme. É Jayme meu nome, porra…
FÁBIO	— Que isso, Jayme?
ESTÁTUA	— Ninguém nem me pergunta o meu nome…

FÁBIO — Jayme, você já procurou um médico?
ESTÁTUA — Eu não tenho dinheiro, porra!
FÁBIO — Peraí, você nunca foi ao médico? Como é que você sabe que é câncer, então?
ESTÁTUA — Eu não disse que eu sei... Eu acho...

(O professor pede para o modelo trocar a pose.)

PROFESSOR — Atenção... Troca! Hércules!

(Estátua vira de costas, fazendo pose de Hércules.)

ESTÁTUA — Tá vendo? Tem uma manchinha aqui, ó? Debaixo da omoplata... marronzinha. Dá pra ver?
FÁBIO — É, né... acho que tô vendo...
ESTÁTUA — Toca nela... ela é meio mole...
FÁBIO — Não tem necessidade, né?
ESTÁTUA — Toca nela, garoto...
FÁBIO — Vou tocar não, viu?
ESTÁTUA — Desenha ela, então...
FÁBIO — Pra quê?
ESTÁTUA — Pra eu ver se tá crescendo...
FÁBIO — Olha só, Jayme, isso aqui é só um hobby meu, tá? Eu posso errar na mão... fazer ela maior, menorzinha, aí você pode ficar assustado...
ESTÁTUA — Me ajuda...
FÁBIO — Eu não posso fazer nada por você...
PROFESSOR *(em off)* — Gente, vamos trocar!

(Estátua sai de cena. Entra um modelo gordo e tira o roupão. Ele olha fixamente para Fábio.)

GORDO — Oi...
PROFESSOR *(em off)* — Faz agora um espacate!

(Gordo se joga no chão como se abrisse um espacate. Ouve-se um barulho de algo sendo esmagado.)

SUPERÁVIT

roteiro ▶ **Gregorio Duvivier**

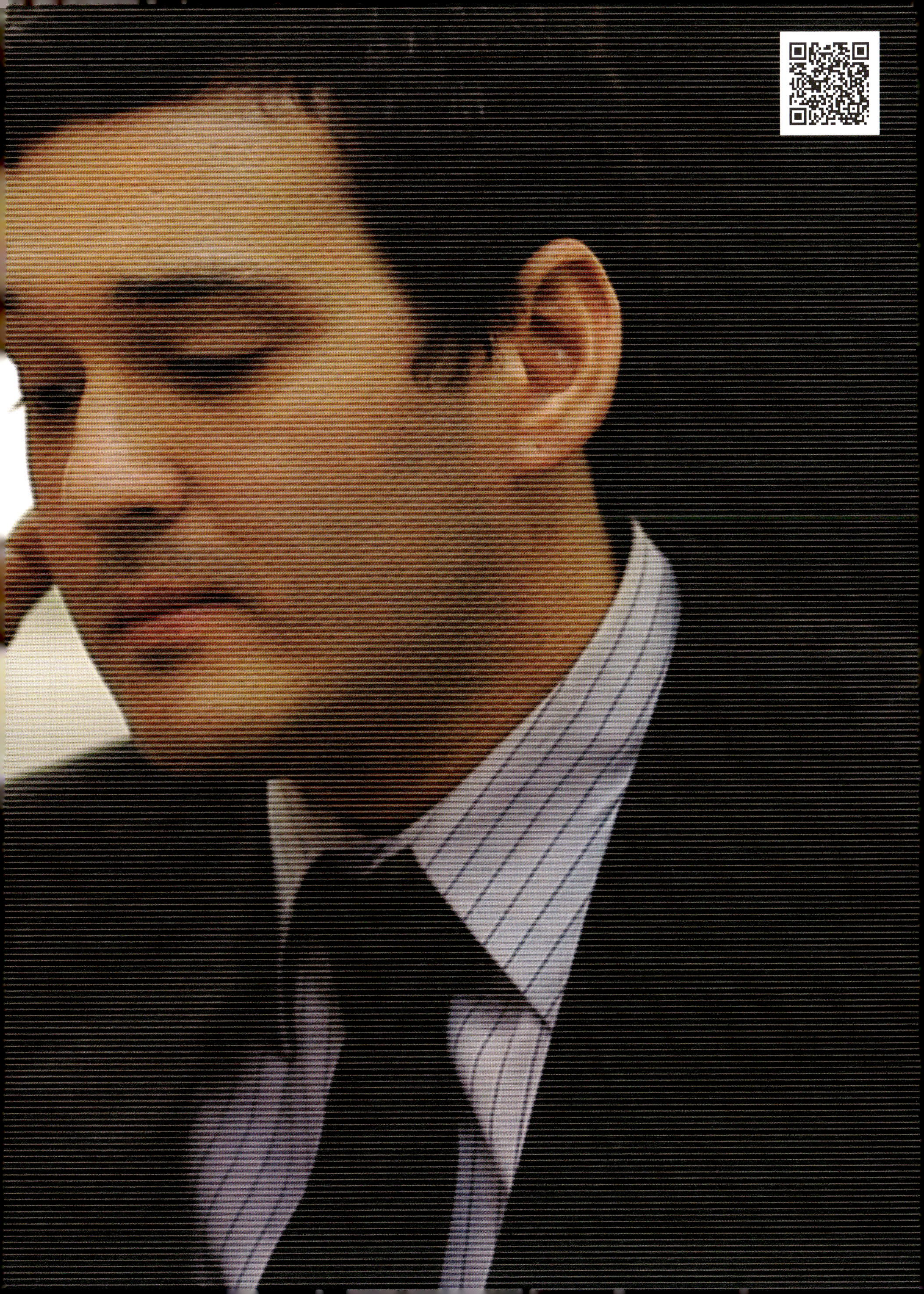

> Quanto tempo dura um político com princípios? Quantos meses, dias ou horas morando em Brasília são necessários para você começar a desviar dinheiro? E se você não desviar, o que acontece? Sofre bullying? Queríamos fazer um esquete que falasse dos problemas que a honestidade pode gerar numa sociedade em que a corrupção é a norma. Falando assim, parece um vídeo muito chato. E talvez tivesse ficado, se não fosse pelos dois atores brilhantes e pela direção impecável. Leia e tire suas próprias conclusões.
>
> Ah, e superávit não é um super-herói. É o contrário de déficit. Ou seja: quando sobra dinheiro. — G.D.

(Escritório de Valdo, deputado federal. Entra Laércio, outro deputado.)

LAÉRCIO — Oi, Valdo.

VALDO — Opa, Laércio, tudo bem?

LAÉRCIO — Queria falar comigo, né?

VALDO — Senta aí. É o seguinte: tem um dinheiro aí que você não pegou.

LAÉRCIO — Que dinheiro?

VALDO — Um dinheiro que a gente pega.

LAÉRCIO — A gente pega?

VALDO — Os deputados.

LAÉRCIO — Vocês pegam, né?

VALDO — A gente pega, tá? Você pega… a gente pega.

LAÉRCIO — Não! Eu não pego nada.

VALDO *(rindo)* — Ah, não pega nada! *(volta a ficar sério)* É justamente por isso que eu estou aqui agora para falar com você. Porque você não pega nada.

LAÉRCIO — Então você me chamou aqui para falar do fato de vocês estarem roubando?

VALDO — Não! Eu te chamei aqui para te atentar pro fato de que você não está *(faz sinal de aspas no ar)* pegando esse dinheiro. E se você não pegar esse dinheiro, vai sobrar um dinheiro. E se sobrar um dinheiro, as pessoas vão estar perguntando por que é que está sobrando esse dinheiro. (*fala rapidinho*) E se as pessoas ficarem perguntando, a gente vai ter que parar de pegar esse dinheiro.

LAÉRCIO — E por que vocês não param de pegar esse dinheiro?

VALDO — Vocês, não. A gente.

LAÉRCIO — A gente, não! Eu não pego nada.

VALDO — Você pega, sim. Na verdade, eu pego pra você. Eu pego a minha parte, e a sua eu tô depositando num banco. Num fundo excelente, renda fixa, você já é Personnalité, tem cartão platinum e o caralho! Se quiser, pode viajar com milha no final do ano pra Paris!

LAÉRCIO — Valdo, pode deixar! Eu não quero esse dinheiro.

VALDO — Mas é um valor pequeno!
LAÉRCIO — Mais uma razão. Eu não vou sujar a minha imagem, o meu nome, por causa de uma mixaria, de um valor pequeno.
VALDO — Então, você tocou em um ponto legal! Se o problema é valor, a gente pode chegar na cifra que você quiser. (*pega calculadora e entrega a Laércio*) Coloca um valor aqui...

LAÉRCIO — Não vou. Não tô aqui pra isso, não.
VALDO — Laércio... Eu tô aqui pra te ajudar. Tô aqui pra te ajudar a me ajudar!
LAÉRCIO — Valdo, sabe quem eu quero ajudar?
VALDO — Quem?
LAÉRCIO — O povo brasileiro...
VALDO (*irritado*) — Não fode, Laércio! Não fode!
LAÉRCIO — Doa esse dinheiro pra saúde, pra educação, pra alguma coisa que vá fazer bem ao povo.

VALDO — Laércio, não dá! É isso que você não tá entendendo. O Brasil recolhe dinheiro demais de imposto. O dinheiro tá pulando! Se a gente não pegar esse dinheiro, o Brasil se explode!

LAÉRCIO — Arte? Cultura? É isso! Você pega esse dinheiro e investe em arte e cultura. Essa é a melhor forma...

VALDO — O que você quer é ver mais filme nacional? É isso que você quer? Ir ao cinema pra assistir *Os vingadores* e tá passando *Federal* na sala? Se você me disser agora que quer ver mais filme nacional, eu abro um edital agora pra você... *(pega o telefone)* Bianca, retoma Paulínia. *(desliga)*

LAÉRCIO — Não, não. Não é isso, não, tô legal.

VALDO — É melhor pro país, Laércio! O que você quer? É mais classe C pegando avião? Já viu como é que está o aeroporto? A rodoviária que é esse aeroporto! Uma gente feia, uma gente que não tinha que tá pegando nem ônibus. O teu caseiro entrando no Facebook... É isso que você quer? Você quer curtir a foto da mulher do seu caseiro de maiô na praia, no piscinão de Ramos? É isso que você quer?

LAÉRCIO — Não. Eu não quero!

VALDO — Porque parece que é isso que você quer!

LAÉRCIO — Tá bom, tá. Então...

VALDO — É um bem pro país! Pro Brasil! Pro meu, pro teu, pro nosso!

(Laércio respira fundo.)

LAÉRCIO — Você falou que eu vou ser cliente Personnalité?

VALDO — Com esse fundo DI, é uma forma arrojada de você pensar no futuro, pensar lá na frente. *(pega telefone)* Bianca? Traz o DI pro Laércio.

LAÉRCIO — Pergunta se rende mais que a poupança?

VALDO — Bianca, rende mais que a poupança? *(desliga e diz para Laércio)* Rende! 🏃

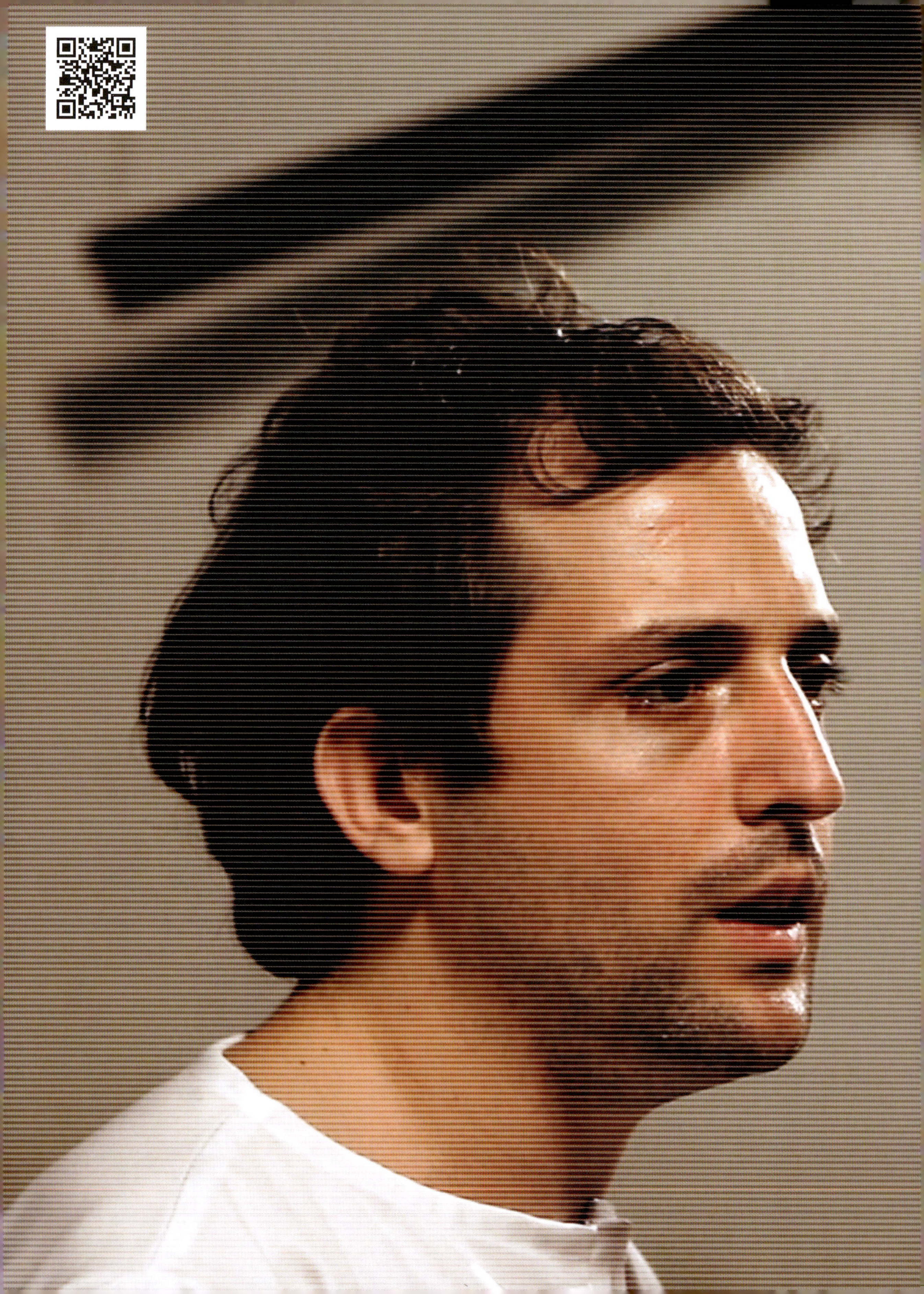

KKK

roteiro ▶ Fábio Porchat

Eu adoro imaginar como nascem as ideias — não só das coisas boas, mas das ruins também. Quem foi o cara que decidiu formar a Ku Klux Klan, por exemplo? Como ele fez isso? Reuniu um pessoal pra falar que queria criar um grupo racista?

Lembro que, na gravação, os figurantes não haviam lido o roteiro ainda, e o Ian SBF me incumbiu de passar o texto com eles. A cena era a seguinte: eu, com o figurino da KKK, explicando o esquete para oito figurantes negros, também vestidos de membros da KKK, mas ainda sem capuz. Vai que eles odeiam? Terminei de falar e ninguém disse uma palavra. Ficou um clima de tensão por dois segundos, até que todos começaram a rir muito. Ufa!

Mexer com um tema tão polêmico como o racismo gera desconforto. Mas eu tenho certeza de que, na comédia, quando a gente "bate" em quem tem que "bater", tá tudo certo! — F.P.

(Tennessee, 1864. Um homem com a roupa da Ku Klux Klan espera num galpão. Outro homem aparece também vestido a caráter.)

BETO — Pô, Oscar... só trouxe esse pessoal aí? Pouquinho, cara...

OSCAR — Foi o que eu consegui de última hora, né...

BETO — Tá bom. Pra primeira reunião até que tá legal...

OSCAR — Tenta apressar aí, porque o pessoal tem que acordar cedo amanhã...

BETO — Vai ser rapidinho. Toma estas pastinhas aqui. Tá tudo escrito, sobre o que que é a minha ideia... Vai distribuindo aí pro pessoal que eu vou começar. *(entrega pastinhas pra Oscar e sobe no palco. Oscar distribui as pastinhas)* Boa noite, gente. Tudo bem? Como é que tá? Maravilhoso! Eu quero começar este grupo hoje, é um trabalho que vai mudar a história de muita coisa ainda. Eu chamei de Ku Klux Klan...

DENZEL *(levanta a mão)* — Oi, eu aqui... Desculpa...

(Beto nota a cor da mão de Denzel e fica apreensivo.)

BETO — É... Tudo bem...? Vira só sua mão, se puder...

(Denzel vira a mão, revelando a pele negra.)

BETO *(apreensivo)* — É... fala. O que que foi?

DENZEL — Tá quente. *(mostra o capuz)* Pode tirar isto aqui?
BETO — Qual é o seu nome?
DENZEL — Denzel.
BETO *(olhando intrigado para a mão negra)* — É, Denzel... tira a máscara só pra eu ver um negócio...

(Denzel tira o capuz e se revela negro.)

BETO   *(tenso)* — Que isso?! Meu Deus… Gostei da ideia, hein, Denzel. Vamos, de repente, tirar todo mundo a máscara pra ver como é que fica…? Vamo, que Denzel deu uma ideia excelente…

(Todos tiram as máscaras, revelando que são negros. Beto fica desesperado.)

BETO   — Isso! Oh, meu Deus! É isso, gente, obrigadíssimo, maravilhoso! Oscar! *(descendo do palco)* Que que é isso, Oscar?
OSCAR   — O que que tem?
BETO   — Que gente é essa?
OSCAR   — Você falou pra chamar uma galera, então eu chamei o pessoal que trabalha lá em casa.
BETO   — Sim, mas eles são *(abaixa a voz)* negros!
OSCAR   — Ué, não podia?

BETO — Oscar…
OSCAR — Você não falou nada…
DENZEL *(interrompe)* — Esse negócio de grupo. Você falou de grupo, de montar grupo. Tá, vai ter isso?
BETO — Não! Grupo?! Não tem grupo… Tive uma ideia, né, Oscar… do quê? Do grupo de blues, de jazz, de repente, hein? Quem é que não gosta de um…? *(simula tocar um trompete)*
KLÉBER *(mostrando a pasta)* — Mas o que é que tem nestas pastinhas aqui?
BETO *(se desespera e começa a recolher as pastas)* — Nada! Não tem nada nessas pastas aí! Só tem umas letras que eu escrevi, mas que ainda não estão terminadas. Uma coisa bem amadora…
ROGÉRIO — E essas tochas aqui?
BETO — Tocha, não! *(recolhe as tochas)* Isso é citronela… pra espantar mosquito, cara…
OSCAR — Oi, Beto, mas como assim? Eles vieram até aqui a essa hora, bicho… né, não?
BETO — Leva essa gente embora…
HOMEM — Tem foice e corda aqui…
BETO — Isso é presente pra ti! Pode pegar. Pode levar.
DENZEL — Mas o que que é a Ku Klux Klan?
BETO — É uma boa pergunta… A Ku Klux Klan seria um sinônimo de…

(Um negão enorme entra. Sua roupa típica não cabe direito.)

PAULÃO — Já começou esse negócio de Ku Klux Klan?
BETO *(canta batendo palmas)* — Oh, happy day! *(estala os dedos)* Oh, happy day!

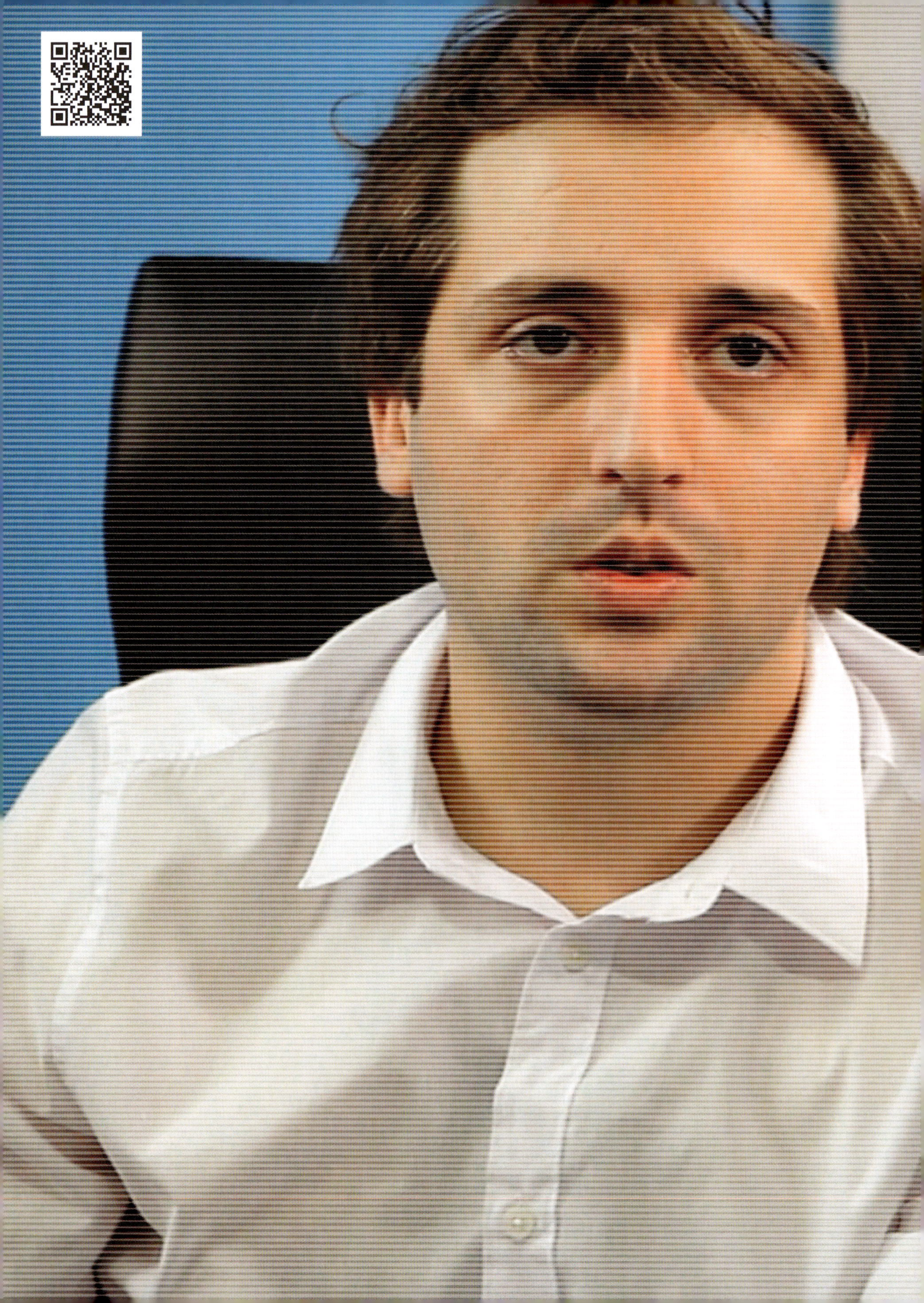

MINUTO DA MARMOTA

roteiro ▶ **Gregorio Duvivier**

> **U**MA VEZ, EU E CLARICE comemos um brigadeiro que continha substâncias alucinógenas que não podemos citar — mas que começam com "ma" e terminam com "conha" —, pois elas não são legalizadas no Brasil. O fato é que estávamos conversando com Fábio Porchat (que talvez também tivesse consumido a substância, diga-se de passagem), e ele não parava de repetir a mesma história. Ou melhor: o mesmo trecho da mesma história (ele definitivamente tinha consumido).
>
> Clarice e eu entramos numa *bad trip* de que o mundo estava em looping e a gente nunca iria sair daquele minuto. Durou uns cinco minutos — ou talvez duas horas, não saberia dizer. Ou talvez esteja durando até hoje, e isso que está acontecendo agora é uma realidade paralela. Este texto foi inspirado nesse episódio.
> — G.D.

(Escritório. Max está trabalhando, concentrado, em um relatório. Jorge arrasta a cadeira para perto e puxa conversa.)

JORGE — E aí, cara, beleza?

MAX — Opa!

JORGE — Terminou o relatório já?

MAX *(sem tirar os olhos do monitor)* — Então, tô terminando aqui, cara. O que que foi?

JORGE — Ih, rapaz! Aluguei aquele filme bom pra caramba: *Feitiço do tempo*, lembra?

MAX — Ahã, claro.

JORGE — Então... Você não quer assistir lá em casa hoje à noite, não?

MAX — Putz! Valeu, Jorge, mas eu já assisti esse filme três vezes, cara. E hoje tem jogo, né?

JORGE — Ahã.

MAX — Mas valeu... Valeu pelo convite. *(dá um sorriso amarelo)* Deixa só terminar aqui o...

JORGE — Fica à vontade.

MAX — ... o relatório.

(Entra o chefe.)

CHEFE — Max, terminou o relatório?
MAX — Não, chefe, desculpa! Até as cinco eu termino, com certeza.
CHEFE — O prazo era às quatro, Max, às quatro!
MAX — Tá! Até as quatro, então, eu termino. Desculpa.

(*Sai o chefe. Do outro lado entra Telminha, de camisa branca e com um café na mão.*)

JORGE — Telminha tá muito gostosa hoje!

(*Ela derruba o café na camisa.*)

JORGE E MAX — *Aaaai!*
TELMINHA — Puta que pariu!
JORGE (*puxa a cadeira para perto de Max*) — E aí, cara, já terminou o relatório?
MAX — Não, cara, tô terminando ainda!
JORGE — Cara, deixa eu te falar um negócio. Eu aluguei um filme, mas um filmaço: *Feitiço do tempo*. Já assistiu?
MAX — Sei, cara.
JORGE — Pois é. Quer ir lá em casa assistir?
MAX — Cara, eu já te falei! Já assisti esse filme três vezes, brother! E hoje tem jogo.

(*Entra o chefe.*)

CHEFE — Max, terminou o relatório?
MAX — Não. Ainda não, chefe.
CHEFE — O prazo era às quatro, Max!
MAX — Eu sei, o senhor já falou. Até as quatro eu termino.
JORGE — Putz, cara, a Telminha tá muito gostosa hoje.

(Entra Telminha com um café. A blusa dela está branca de novo. Derruba o café na camisa. Sai gritando. Max não acredita.)

MAX — Não!
JORGE — E aí, cara, já terminou o relatório?
MAX — Não, cara! Não! Não!

JORGE — Calma, cara, eu só ia te fazer um convite! Que isso?
MAX — Isso não tá acontecendo comigo.
JORGE — Você não sabe nem qual convite que eu ia fazer.
MAX — Sabe aquele filme: *Feitiço do tempo*?
JORGE — Cara, era exatamente esse o convite que eu ia te fazer!
MAX — Então, cara, minha vida entrou em looping! Fodeu, eu tô preso num minuto! Entendeu? Igual ao filme: o cara tá preso num dia. Eu tô preso num minuto. No minuto do relatório! Eu tô preso no feitiço do minuto do relatório…

(Entra o chefe.)

52

CHEFE — Max, terminou o relatório? Olha, o prazo era…
MAX — Aqui, ó.

(Max entrega o relatório.)

CHEFE — Obrigado.
MAX — Rá!

(Sai o chefe.)

JORGE — Olha, cara, você tá ficando maluco, hein! Vai se tratar, hein! Procura uma ajuda, que não tá certo o negócio pra…

MAX — E agora a Telminha vai entrar ali.
JORGE — Hoje, aliás, ela tá muito…
MAX — … gostosa, eu sei. E ela vai derrubar café na blusa. A não ser que eu impeça.

(Max vai correndo até Telminha para impedir que ela derrube o café.)

MAX — Telminha!
TELMINHA — Oi!
MAX — Cuidado aí! Ai, desculpa! Desculpa! Deixa eu…

(Ela dá um tapa na cara de Max.)

MAX — Ai!

JORGE — E aí, cara, já terminou o relatório, já?
MAX — Eu já entreguei a porra do relatório, Jorge!
JORGE — Sabe aquele filme: *Feitiço do tempo*?
MAX — Não! Não, Senhor! De novo, não. Eu tô preso na porra desse filme, Jorge. Eu tô preso no mesmo minuto!
JORGE (*rindo*) — Que doido, né? Como se já tivesse tido esta conversa várias vezes...
MAX (*estressado*) — A gente já teve esta conversa várias vezes, cara!
JORGE — Sério, cara?
MAX — Várias vezes! E agora vai entrar ali o chefe e ele vai me perguntar de novo se eu já terminei o relatório...

(*Entra o chefe.*)

CHEFE — Max, terminou o relatório?
MAX — Não, caralho! Nem vou terminar. Sabe por quê? Porque eu odeio esta porra desta empresa. E eu odeio você. Você é um merda tão merda que você não faz ideia de que todo mundo aqui desvia dinheiro da sua empresa. E também não sabe que a sua esposa dá pra todo mundo do marketing e do financeiro, que ela é uma vagabunda!
CHEFE — Max, junta as suas coisas e vai embora agora!

(*Sai o chefe.*)

JORGE — Que isso, cara, você tá maluco?
MAX — Não, calma! Agora vai entrar a Telminha ali ainda...

(Entra Telminha com o café.)

JORGE — Que por sinal tá muito...
MAX — ... gostosa. Eu sei!

(Ele vai até ela.)

MAX — Muito gostosa! Vai, derruba logo esse café na blusa.
TELMINHA — Quê?
MAX — Telm... Derruba, vagabunda! Toma o café! Derruba!

(Ele pega o café e joga na blusa de Telminha.)

TELMINHA — Gente!
MAX — Não queria derrubar o café? Agora fica de quatro. Fica de quatro! Vai! Vai, cavalinho! Isso! Upa, cavalinho gostoso! Hum! Uuuuh! Vai dar em nada isso aqui. Quer ver? Eu vou sentar aqui agora. Vai voltar tudo ao normal!
JORGE — Para com isso... Vai pra casa, cara!

(Entra o chefe com um segurança.)

CHEFE — Joga esse palhaço no meio da rua!
MAX — Isso tudo é realidade paralela, amigo! Isso aqui, não vai dar em nada, não... *(o segurança pega Max pelo braço)* Ai! Ai, o meu braço!
CHEFE — Moleque!
MAX — Volta! O minuto vai voltar, vocês vão ver!

(Max sai, levado pelo segurança.)

SOBRE A MESA

roteiro ▶ Antonio Tabet

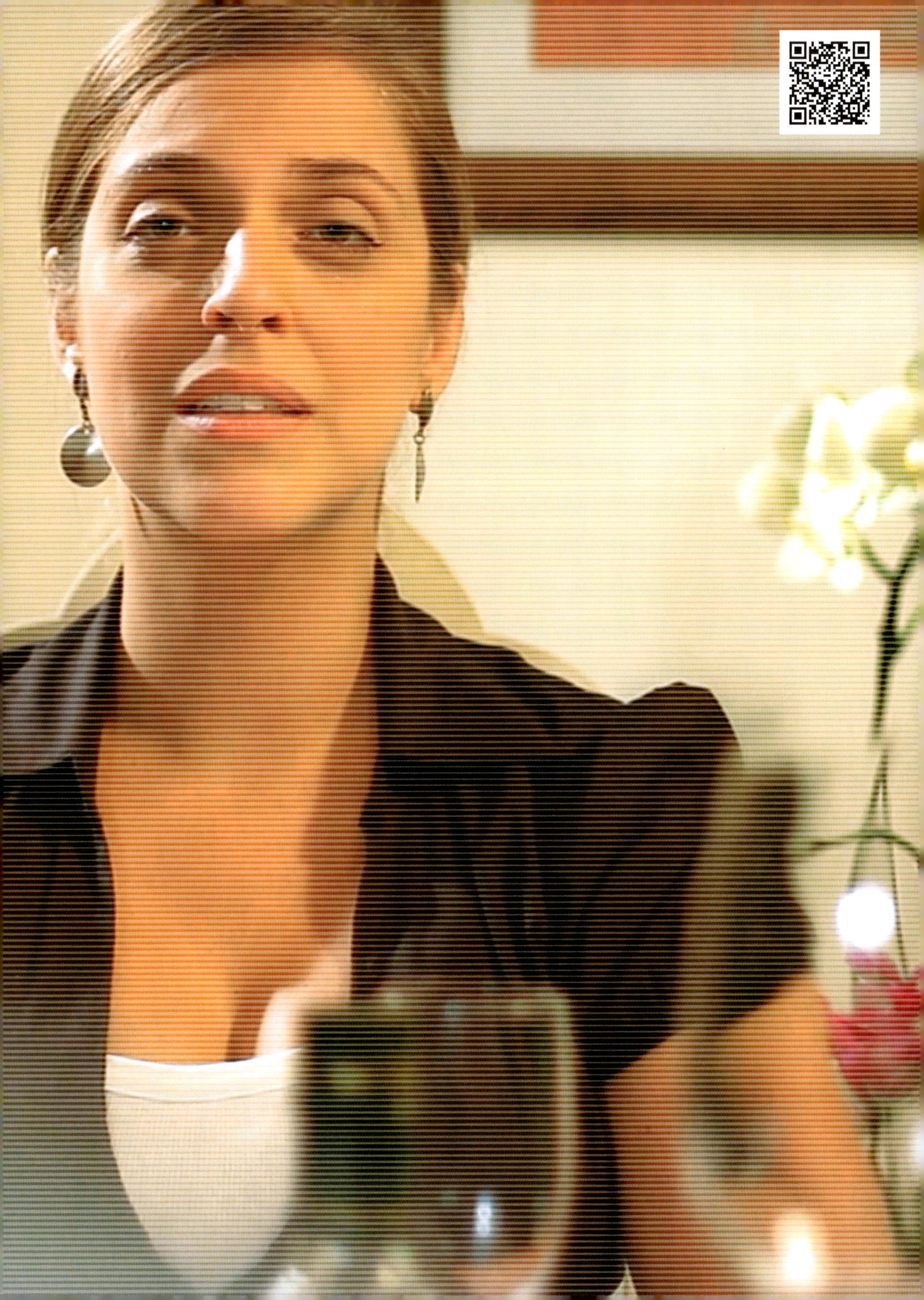

O CASAL DA MESA AO LADO, aparentemente com quarenta e poucos anos de idade e uns vinte de casamento, comia em silêncio quando a mulher puxou assunto: "Fulano, quero conversar com você." Fulano, sem sequer erguer os olhos do prato, perguntou sobre o que ela queria falar, e a esposa respondeu que era sobre eles dois. Foi então que ele finalizou: "Que papo merda, hein?"

A grosseria que testemunhei num restaurante me fez pensar no que a pobre alma gostaria de dizer para aquele crápula. Que sentimentos alforriados sairiam daquele peito feminino e flagelariam aquele "Mário Alberto"? Que verdades muitas e muitas mulheres gostariam de dizer a seus parceiros?

Mário Alberto não só ganhou a sobremesa, como ainda teve direito a um café. Foi ele quem pagou a conta naquela noite. — A.T.

(Casal sentado na mesa de jantar. Eles não conversam. O marido mexe no Smartphone. A mulher come com ar distante, frio.)

MÁRIO ALBERTO — O que tem de sobremesa, Odete?
ODETE — Abacaxi...

(Mário Alberto olha irritado para Odete e abaixa o Smartphone.)

MÁRIO ALBERTO — Abacaxi?...
ODETE — Ahã. Ah! Tem tangerina também.
MÁRIO ALBERTO — Ô, Odete! Do jeito que tá, pra mim não dá! Eu saio desta casa às seis da manhã todo dia e vou trabalhar que nem um condenado. E tudo o que eu espero, quando volto pra jantar em casa, é que tenha uma porcaria de uma sobremesa! Pode ser um pudim! Uma porcaria de um pudim! Não dois, mas um pudim! Não precisa ser pudim se você não gostar. Você gosta de outra coisa? Sei lá, um sorvete? O que você quer?
ODETE *(levantando a cabeça e olhando fixamente para Mário Alberto)* — O que eu quero, Mário Alberto?

MÁRIO ALBERTO	— É, Odete! O que você quer?
ODETE	— Bom... O que eu quero é foder, Mário Alberto. Eu quero foder! Agora, você repara que eu não falei fazer amor... eu não falei transar... não falei fazer (*faz aspas com os dedos*) nheco-nheco, eu falei (*enfatiza*) foder. (*repete pausadamente*) Fo-der. Agora, eu não quero foder só com você. Quero foder com o seu chefe, com o meu personal trainer, eu quero foder com o Malvino Salvador, eu quero foder com o George Clooney. Eu quero foder com aquele menino que faz piadas na internet. Quero foder com o time da Nigéria, com o Exército de Israel. Até com o Toinho, o porteiro. Quem sabe até com seu irmão, Mário Alberto. Mas eu não quero um de cada vez. Quero todos ao mesmo tempo.

	Quero levar surra de piroca até semana que vem. Quero ficar com o queixo pra dentro, que nem Noel Rosa, sabe? De tanto levar saco aqui, *(indica o lugar)* no queixo, sem conseguir falar. Eu quero ficar tão larga que... Como é mesmo o nome daquele nadador? Aquele menino comprido, o...
MÁRIO ALBERTO	— ... o Phelps??

ODETE	— Isso! Phelps! Eu quero ficar tão larga que o Phelps vai enfiar o *(faz o gesto enquanto fala)* cotovelo dobrado, assim, dentro de mim e eu não vou nem sentir. Por quê? Porque vou estar extasiada, entendeu? E eu quero tudo de luz acesa, entendeu? Porque eu quero ver aquele banho de sêmen. Sêmen é o caralho, né, Mário Alberto? É porra, né?

Banho de porra mesmo, sabe? Bukake?
Coloca no Google que você vai saber o que é.
Eu quero levantar que nem um boneco de
cera, sabe? Pingando, assim, derretendo.
E depois eu vou querer um repeteco. Eu quero
escalavrar a buceta, quero levar cutucada
no colo do útero, entendeu? E aí depois
vou querer dar o troco, passar recibo. Vou
querer que me chamem de putinha, de vaca,
de vadia, de cachorra e, depois, de putinha de
novo. Enfim, pra terminar com tudo isso, eu
vou esmerilar a chapeleta de geral pra limpar a
bagunça e, no dia seguinte, vou acordar puída,
assada, que nem um fantoche velho. É isso
o que eu quero, Mário Alberto. E você?

(Mário Alberto olha para a mulher com uma expressão chocada.)

MÁRIO ALBERTO	— Eu… quero a tangerina.
ODETE	— Hum! Só não tá gelada, tá?

SETOR DE RH: SUPERGÊMEOS

roteiro ▶ Ian SBF

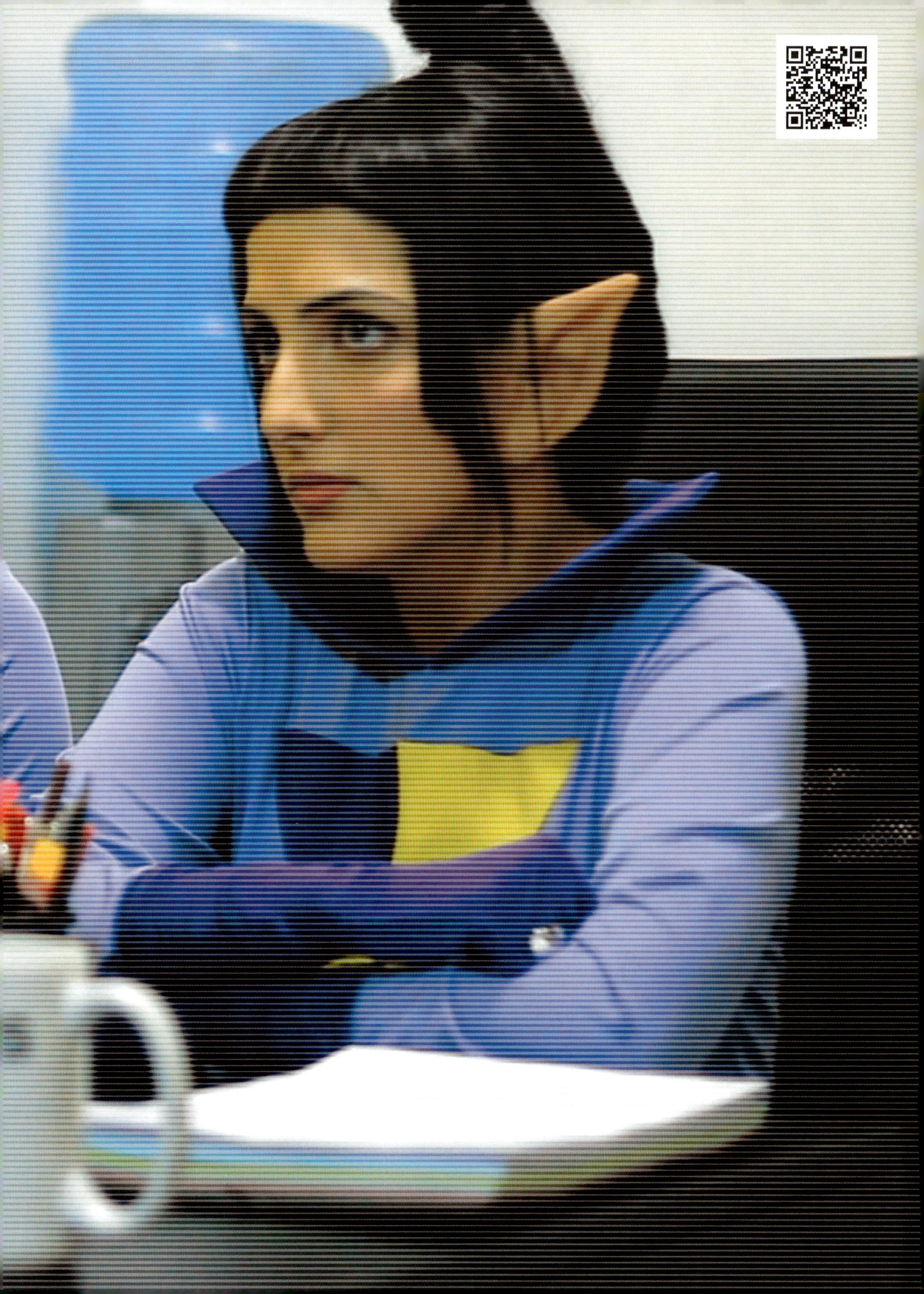

> E STE É MAIS UM ROTEIRO que escrevi inspirado em HQ. O tema, claramente, me interessa, principalmente as cenas por trás do que sempre vemos e os bastidores que ninguém pode imaginar.
> Todos que já assistiram ao desenho dos Superamigos perceberam quão inúteis os Supergêmeos são. Quem precisa de um balde de água pra fazer o vilão escorregar quando tem o Super-homem na equipe?
> Muito do humor do Porta se baseia em constrangimento e identificação. Neste caso, o pessoal da nossa geração pode se identificar por ter visto os Superamigos na TV e, muito provavelmente, por ter questionado a relevância dos irmãos super-heróis.
> — I.S.

(Escritório do departamento de RH. Os Supergêmeos entram e se sentam.)

ERASMO — Boa tarde, Supergêmeos. É bom ver vocês assim, bem... Queria me apresentar. Meu nome é Erasmo e, como vocês sabem, nós estamos passando por uma reformulação aqui na Liga...

ZAN — Se for demissão, pode falar logo...

ERASMO — Não, não... Não tem nada a ver com demissão. Eu quero conversar um pouquinho com vocês sobre novas oportunidades de carreira...

ZAN — Opa!

ERASMO — Acho que temos uma defasagem aqui... A Liga da Justiça não atende às suas necessidades e ao seu potencial...

ZAN — Não entendi... A gente tem potencial de mais... de menos? O que exatamente?

ERASMO — Não, não, não. A palavra é diferente. Eu acho que os seus poderes seriam mais bem adaptados a outra situação ou equipe...

ZAN — Tipo o quê?

ERASMO — O circo... Já pensaram no circo?

(*Ele empurra um folheto pros gêmeos.*)

ZAN — Tá falando sério?
ERASMO — O circo é um barato...
ZAN — Desculpa, Erasmo, né? Acho que você não tá entendendo o tamanho da coisa. A Jayna, minha irmã, se transforma em qualquer animal! Águia, leão, tigre... Me ajuda, Jayna.
JAYNA — Dragão.
ZAN — Dragão! Obrigado. Mamute!
ERASMO — É, assim... eu conheço o trabalho da Jayna. Acho o poder dela excepcional. Acho que ela tem um futuro brilhante. (*pausa*)
ZAN — Ah... Ah!!! O problema sou eu então?! É isso? O problema sou eu?
ERASMO — Não, de forma alguma! Ninguém é problema aqui. Todo mundo tem o seu valor. Você inclusive... (*pega a pasta pra ler*) Pode se transformar... em... Deixa eu ver... (*pausa*) Água? É isso?
ZAN — É isso. É isso que tá escrito aí?
ERASMO — Balde, né?
ZAN — Balde de água.
ERASMO — Não, peraí, balde de água também... Desculpa.
ZAN — Tem mais...
ERASMO — Aí você é o balde também? Ou a gente tem que dar o balde?
ZAN — Não precisa dar o balde! Eu não me transformo em balde! Ela vira uma águia e traz um balde pra mim. E eu encho o balde porque, no caso, virei água.
ERASMO — Então ela poderia virar um dragão que cospe fogo nas pessoas ou algo parecido, mas se transforma em pássaro...
ZAN — Águia!
ERASMO — Águia... Aí ela pega o balde e põe você, água, dentro?

ZAN — Mais ou menos. Porque na verdade tem um macaco também. Ela segura o macaco, me corrige, Jayna…

JAYNA — O macaco vem…

ZAN — O macaco vem…

JAYNA — … e ele segura o balde e, dentro do balde… *(aponta para Zan)*

ERASMO — Então, assim… Vamo lá. Tá me parecendo aqui que o macaco, sim, é essencial.

ZAN — Nessa operação toda que consiste em jogar água é o macaco que é essencial?! O macaco está carregando o balde… mas quem está dentro do balde?

ERASMO — Claro. Você molha as pessoas…

ZAN — Molho porque…

ERASMO — Zan, Zan. Olha só, eu entendi. Acho que chegamos no ponto aqui… O pessoal tá tendo uma certa dificuldade pra te encaixar. Eles acabam pegando missões onde tem poça, ou balde de água, ou estaca de gelo… Você vai concordar comigo que a sua participação está restringindo um pouco o potencial da equipe.

ZAN — Restringindo o potencial da equipe?! Sem a minha participação na equipe, a Jayna não viraria animal nenhum!

ERASMO — Hum... *(olhando na pasta)* Ah, sim. O negócio do anel, né? De vocês baterem o anel?

ZAN *(mostra o anel)* — Exatamente!

ERASMO — Olha... A gente na verdade até já pensou nisso... *(puxa uma vassoura com um lápis preso perpendicularmente ao cabo)* Porque isso aí, de repente, poderia ser um cabo de vassoura que tem esse compartimento aqui pro anel. Agora, uma outra opção é o macaco. Eu acho que resolve.

ZAN — O macaco com o anel?!

JAYNA — Acho que dá...

ZAN — Dá, Jayna?!

JAYNA — Dá...

ZAN — Então, tá, fica aí com ele! *(bate na mesa irritado)* Continua nesta porra de Liga da Justiça, tô cagando! Foda-se! Olha só, eu me demito desta merda! Agora, sabe o que acontece? Sabe o que vai acontecer? Eu não vou ameaçar ninguém, tá? Mas pode ser que talvez você esteja andando na rua tranquilamente... e aí pensar "Nossa! O dia tá ensolarado. Por que será que tem uma poça aqui?" *(ri, maquiavélico)* Ha ha ha! E você vai, por acaso, escorregar na *(faz sinal de aspas com os dedos)* poça.

ERASMO *(constrangido)* — Zan, o anel.

ZAN *(puto, tira o anel do dedo e joga em Erasmo)* — Engole esta porra deste anel! Enfia no cu esta merda, caralho!

(Zan fecha a porta com violência. Jayna tenta disfarçar o constrangimento. Erasmo respira fundo e pega o telefone.)

ERASMO — Oi, tudo bem? Manda o Aquaman entrar, por favor. 🏃

CANCELAMENTO

roteiro ▶ Fábio Porchat

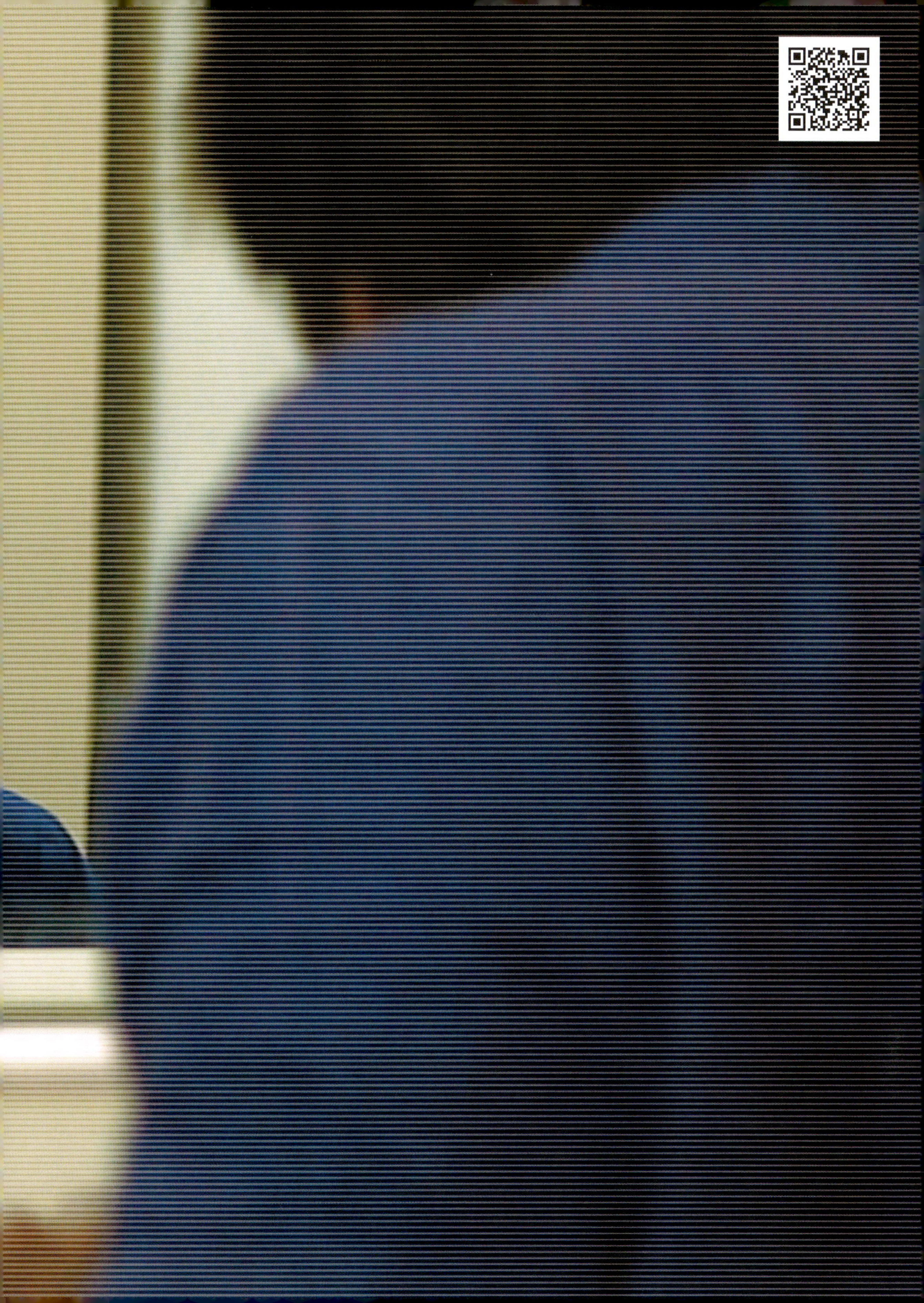

E SE ALGUÉM VOLTASSE DA MORTE pra se vingar dos atendentes de telemarketing? O sujeito foi tão infernizado, perdeu tanto tempo, que seu objetivo depois de morto é destruir a vida dos atendentes, um por um.

Eu escrevi este texto partindo do final. Minha preocupação maior era o público não desconfiar em momento algum do desfecho estilo *O sexto sentido*: *"I see dead people."*

Trabalhei o roteiro como um bom e velho esquete sobre atendimento. Mas ele não podia ser legal só no fim, precisava ser engraçado o tempo todo. Discutimos isso durante a reunião de textos antes de o aprovarmos. E o sorrisinho do morto no final era muito importante. Era o sorriso da vingança completa, e o Gregorio fez a cena exatamente do jeito que eu imaginava! — F.P.

(Central de atendimento. A funcionária atrás do balcão chama o próximo da fila. Um homem que esperava sentado, lendo jornal, se levanta e vai até a atendente.)

MAURO — Oi, boa tarde.
MARLENE — Boa tarde.
MAURO — Eu queria fazer um cancelamento.
MARLENE — Preciso do CPF, do RG original, comprovante de residência, cópia do contrato registrado em cartório e formulário de cancelamento preenchido.
MAURO *(entrega)* — Tá tudo aqui.
MARLENE *(recebe e confere)* — Ok. Sr. Mauro Oliveira, certo?
MAURO — Certo.
MARLENE *(digita coisas no computador)* — Seu Mauro, infelizmente nós não podemos estar fazendo o cancelamento.
MAURO — Por quê?
MARLENE — Porque aqui no sistema consta que o senhor faleceu.

(Mauro encara Marlene brevemente.)

MAURO — Tá, e no caso de eu não ter morrido?
MARLENE — Então, caso o senhor esteja vivo, o senhor teria que ligar pra central de atendimento e falar com o responsável...
MAURO — Não, mas eu já vim até aqui. Você tá falando pra eu sair da central para ligar para a senhora?

MARLENE — Sim, senhor, o senhor precisa entrar em contato com a central de atendimento para esclarecer qualquer suposto equívoco...
MAURO — Suposto equívoco? A senhora supõe que tenha havido um equívoco?!
MARLENE — É o que consta no sistema...
MAURO (irônico) — O sistema avisou minha família que eu morri? O sistema mandou flores? Porque seria de bom-tom...

MARLENE   — O ideal seria o senhor ligar pra central de atendimento...

MAURO   (*com raiva*) — Eu não vou ligar porque eu já tô aqui! Eu tô aqui na sua frente, caceta! Aqui, ó, balançando a mão. (*agita as mãos*) Exatamente pra provar... Morto, por acaso, bate no vidro assim? (*bate no vidro, descontrolado*)

MARLENE   — O senhor está se alterando.

MAURO   — É claro que eu estou me alterando! Por que eu não posso me alterar?! Eu posso ter um troço? Eu já estou morto, então, foda-se! De repente, se eu morrer, eu consigo provar que antes eu tava vivo!

MARLENE   — Infelizmente, eu vou ter que chamar o segurança! (*pega o telefone*)

MAURO (*alterado*) — Dou facada na cara dele também! Esse filho da puta! Cadê? Vou acabar com a cara de vocês todos!
HOMEM (*entra na sala*) — O que houve, Marlene?
MARLENE — Eu tô chamando o segurança porque esse senhor tá um pouco alterado e eu não tinha o que fazer...

HOMEM (*olha para a frente e não vê ninguém*) — Que senhor?
MARLENE (*vemos pela câmera de Marlene que Mauro ainda está lá. Ela aponta*) — Esse senhor...
MAURO — Bu! (*sorri irônico e desaparece*) 🏃

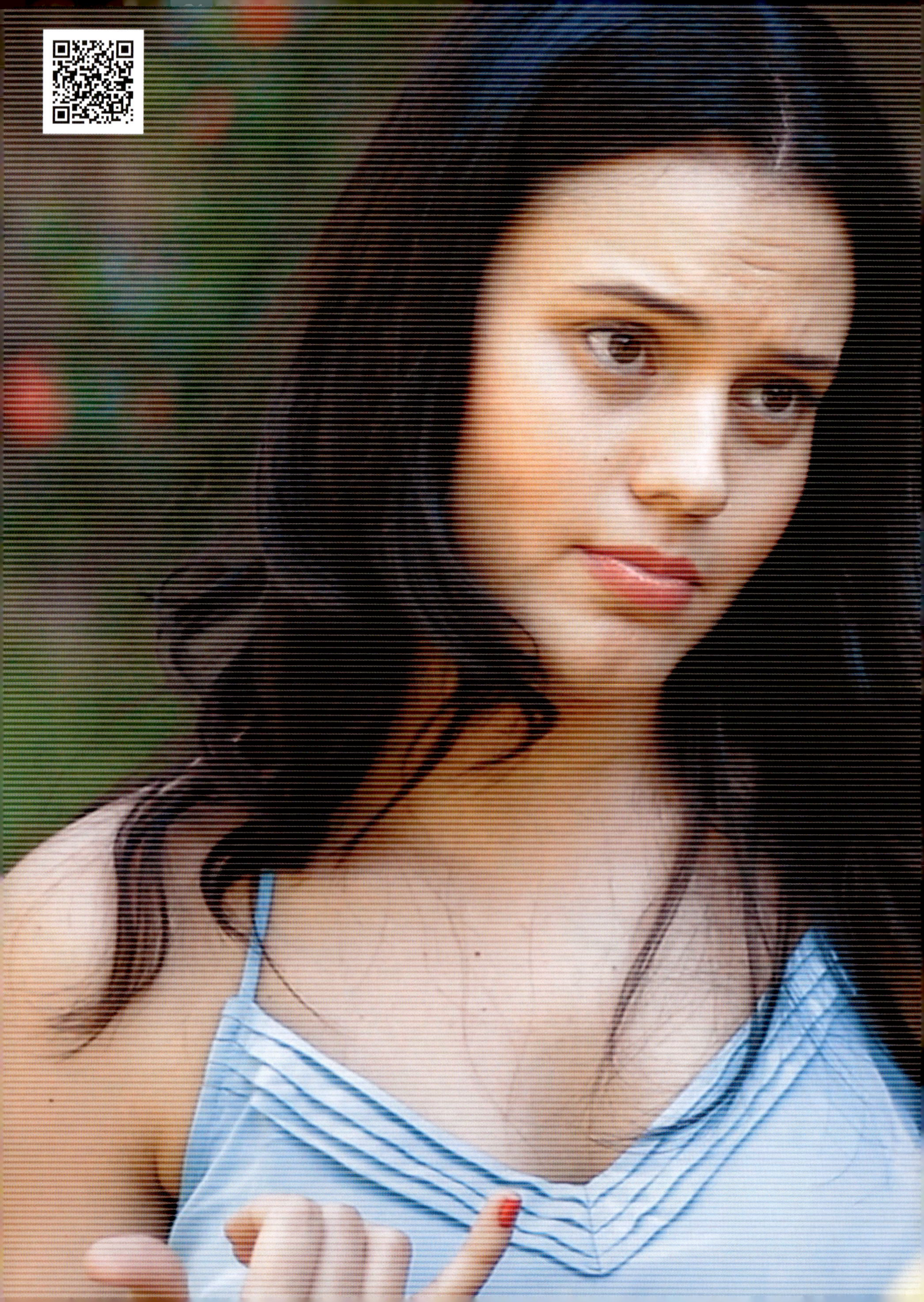

ROBIN

roteiro ▶ Fábio Porchat

SERÁ QUE DARIA CERTO se o Robin resolvesse combater o crime sozinho, sem o Batman? Ou melhor, alguém ia querer o Robin? Ele é meio que só um cara com uma roupa esquisita, né?

Este foi um dos primeiros roteiros que eu escrevi, já vinha amadurecendo essa ideia há um bom tempo. Quanto à escalação, não podia existir alguém mais perfeito pra ser o Robin do que o Gregorio Duvivier.

— F.P.

(*Mulher em apuros. Robin entra em cena pulando.*)

ROBIN — Opa! O que está acontecendo aqui?
MULHER — Robin! Graças a Deus! Eu fui roubada!
ROBIN — Santa misericórdia!
MULHER — Ele me levou tudo!
ROBIN — E pra onde foi o bandido?
MULHER — Vamos esperar o Batman chegar pra eu não ter que repetir a história toda.
ROBIN — Não, o Batman não vem hoje. Ele está resolvendo uns problemas lá da firma e mandou eu vir aqui sozinho.
MULHER — Mas como assim? Eu preciso de ajuda!
ROBIN — Sim, é por isso que eu estou aqui.
MULHER — Tá, desculpa. Mas acho que eu prefiro o Batman mesmo.

ROBIN — Mas o Batman me treinou para ajudar as pessoas sem ele eventualmente, caso isso acontecesse.
MULHER — E se você der uma ligada pra ele? No caso...
ROBIN — No caso, estamos perdendo tempo aqui! Como era o bandido? Qual era a estatura dele?
MULHER — Já sei! Na boa? Passou! Se acontecesse de novo, não tinha nem berrado.
ROBIN — Qual é o problema? É o meu porte físico? É o meu uniforme?

MULHER — Não tinha nada de útil mesmo naquela bolsa...
ROBIN — Eu posso resolver tudo sozinho, sabia? Eu posso resolver as coisas sem o Batman!
MULHER — É claro que pode, querido! (*fala como se ele fosse uma criança*) Quem que é meu menino mais prodígio?! Quem que é?!

(*Robin aponta para si mesmo quase chorando.*)

ASSEMBLEIA GERAL

roteiro ▶ **Gabriel Esteves & Ian SBF**

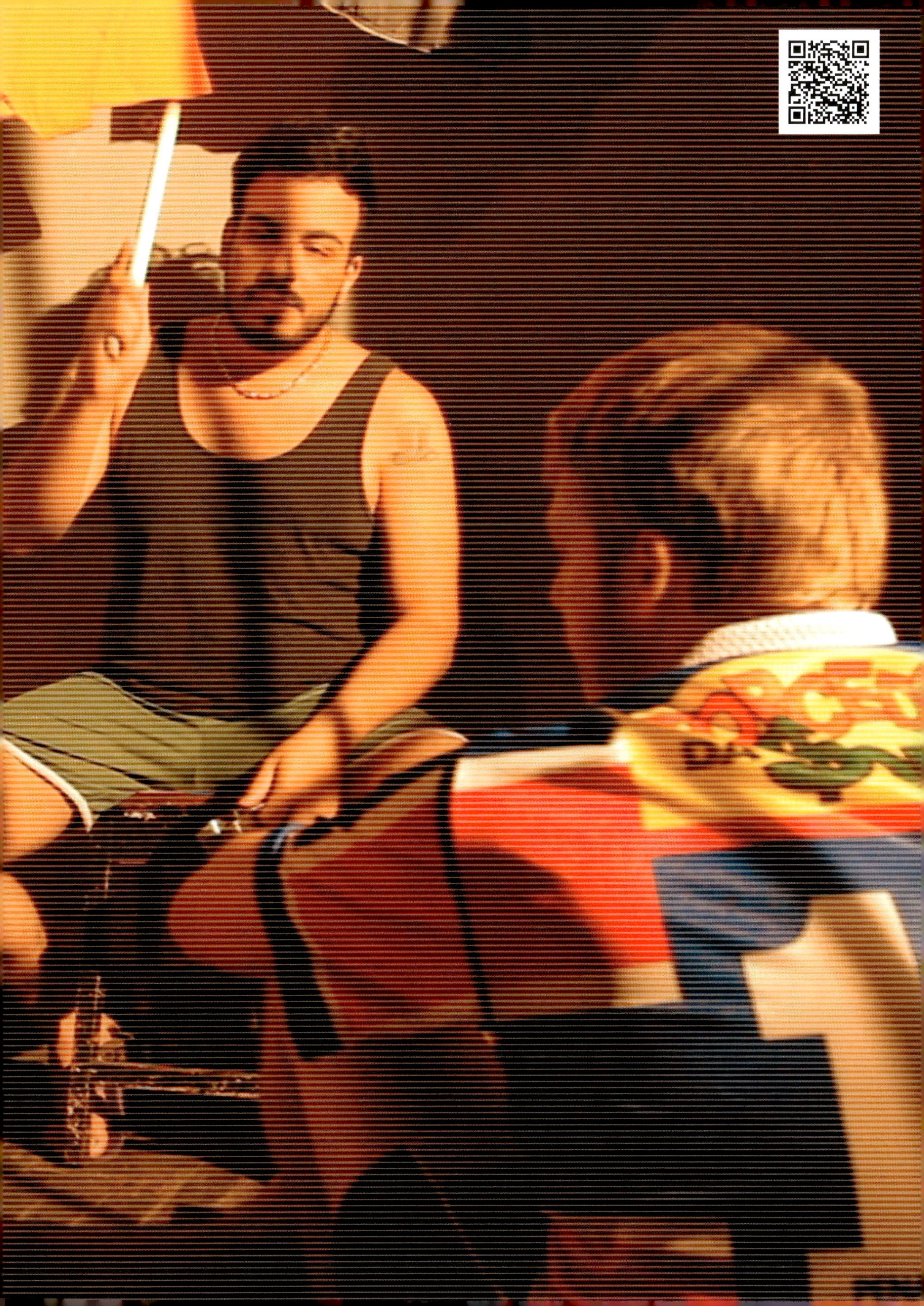

REUNIÃO DE CONDOMÍNIO. Só quem já foi sabe a baixaria que é. É onde se descobre quanta gente desequilibrada mora tão perto de você, e isso dá um certo desespero. Fiquei com esse tema na cabeça e comecei a pensar quais outros ambientes poderiam servir de fundo pra uma assembleia geral bizarra. Invariavelmente, chegamos à prisão!

Comecei a escrever junto com o Ian. Era engraçado imaginar um bando de homicidas e estupradores reunidos formalmente para organizar as atrocidades do dia a dia. Pra mim, o ponto forte desse texto é a forma como ele vai escalonando. É um roteiro de piadas rápidas, com uma muito forte no meio, a do revezamento da curra. E quando parecia que não dava mais pra crescer, conseguimos voltar à piada no final, com um novo plebiscito sobre o esconderijo dos celulares.

Curiosidade: no vídeo, o personagem do Negalê usa uma camisa do time do Fortaleza. Era só uma das opções do figurino, nada de mais. Fábio descobriu, tempos depois, que a torcida rival, do Ceará, passou a chamar os adversários de "Negalê" durante os jogos.

— G.E.

(Reunião de condomínio na cadeia. Presos conversam numa cela pequena, escura e superlotada. Eles estão sentados, todos espremidos, no chão.)

SÍNDICO — Silêncio, silêncio, gente!

(Síndico bate numa panela, chamando atenção. Todos ficam em silêncio.)

SÍNDICO — Segunda-feira, 30 de abril, ala 9, Penitenciária Bangu 1, reunião de condomínio, assembleia geral... Tá escrevendo aí, ô Barriga?

(Barriga faz que sim com a cabeça, anotando tudo em um caderninho.)

SÍNDICO — Tá todo mundo aqui? Cadê o Piolho?

CHATUBA (*segurando uma faca ensanguentada na mão*) — O Piolho vai ficar um tempinho ausente. Teve um problema de saúde... mas ele já volta.

SÍNDICO — Tá, beleza... Então, galera, vamo lá. O Negalê tá querendo levantar uma questão importante aí faz um tempo... Diz aí, Negalê.

NEGALÊ — É isso aí, bem-vindos todos. É... eu queria falar em relação a uma coisa, que é a questão do estupro... tá? É uma coisa que vem sendo dita há um tempo, tá certo? E, realmente, o estatuto não está sendo cumprido. Não está havendo cumprimento do estatuto...

SÍNDICO (*interrompendo*) — Tá, Negalê, qual é o problema?

NEGALÊ — Não, não é problema. Você fala problema e aí parece que é uma coisa séria. Não há problema, em absoluto há problema...

SÍNDICO — Entendi, entendi. *(para todos os presos)* Vamo fazer um plebiscito aqui. Quem é a favor de fazer um revezamento na curra?

NEGALÊ — Isso aí! *(levanta a mão)* Hein?!

(Só Negalê levanta a mão.)

SÍNDICO — Quem é favor de manter a curra no Negalê?

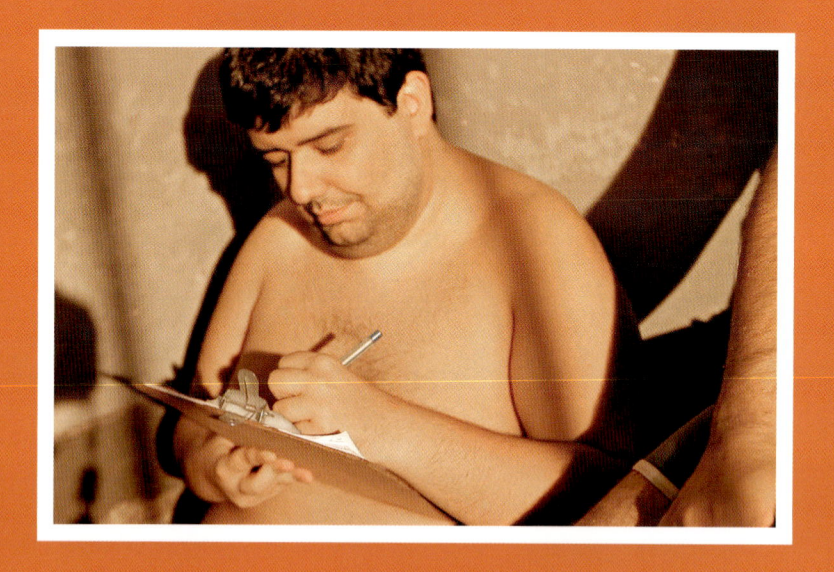

(Todos levantam a mão.)

NEGALÊ *(lamentando)* — Aí é uma foda, né?! Porque o cu não é de vocês...

SÍNDICO — Beleza. *(para Barriga)* Então, Barriga, curra no Negalê... mantém.

(Barriga vai anotando.)

BEIRADA *(levanta mão)* — É... Eu tinha uma questão aqui...

SÍNDICO — Sim?

BEIRADA — ... em relação à obra, né? Como que tá a obra do túnel subterrâneo? O pessoal tá querendo saber.
SÍNDICO — Então, temos boas notícias! O túnel em si ainda não deu em nada, ainda não chegamos a lugar nenhum. Mas, nesse processo, a gente acabou achando uma fiação da GVT e, semana que vem, a gente tem o sinal liberado aí pra galera, pra todo mundo!

(Presos comemoram batendo palmas.)

NEGALÊ — Vamo ver TV! Vamos só ver TV!
BEIRADA — Vai ter Discovery Home and Health?
SÍNDICO — O Discovery Home and Health é adicional. Próxima questão, gente: temos que marcar uma nova data pra rebelião...
NEGALÊ (interrompendo) — Acho que tínhamos que fugir ainda hoje! Ainda hoje, de repente antes do anoitecer...
SÍNDICO (retomando a palavra) — Negalê, ô! Fica na tua, tá?! Fica na tua!
NEGALÊ — Eu queria falar mais uma coisa. Pôr em questão mais uma pauta: é sobre o esconderijo dos celulares. Tá muito manjado já!
SÍNDICO — Boa, boa, que isso é rapidinho, vamo lá. Quem é a favor de procurarmos um novo esconderijo pros celulares?

(Só Negalê levanta a mão.)

NEGALÊ — Isso aí, gente!
SÍNDICO — Quem quer manter o esconderijo dos celulares no Negalê?

(Todos levantam a mão.)

NEGALÊ (lamentando) — É uma merda isso aí... porque quem tá assado sou eu! 🏃

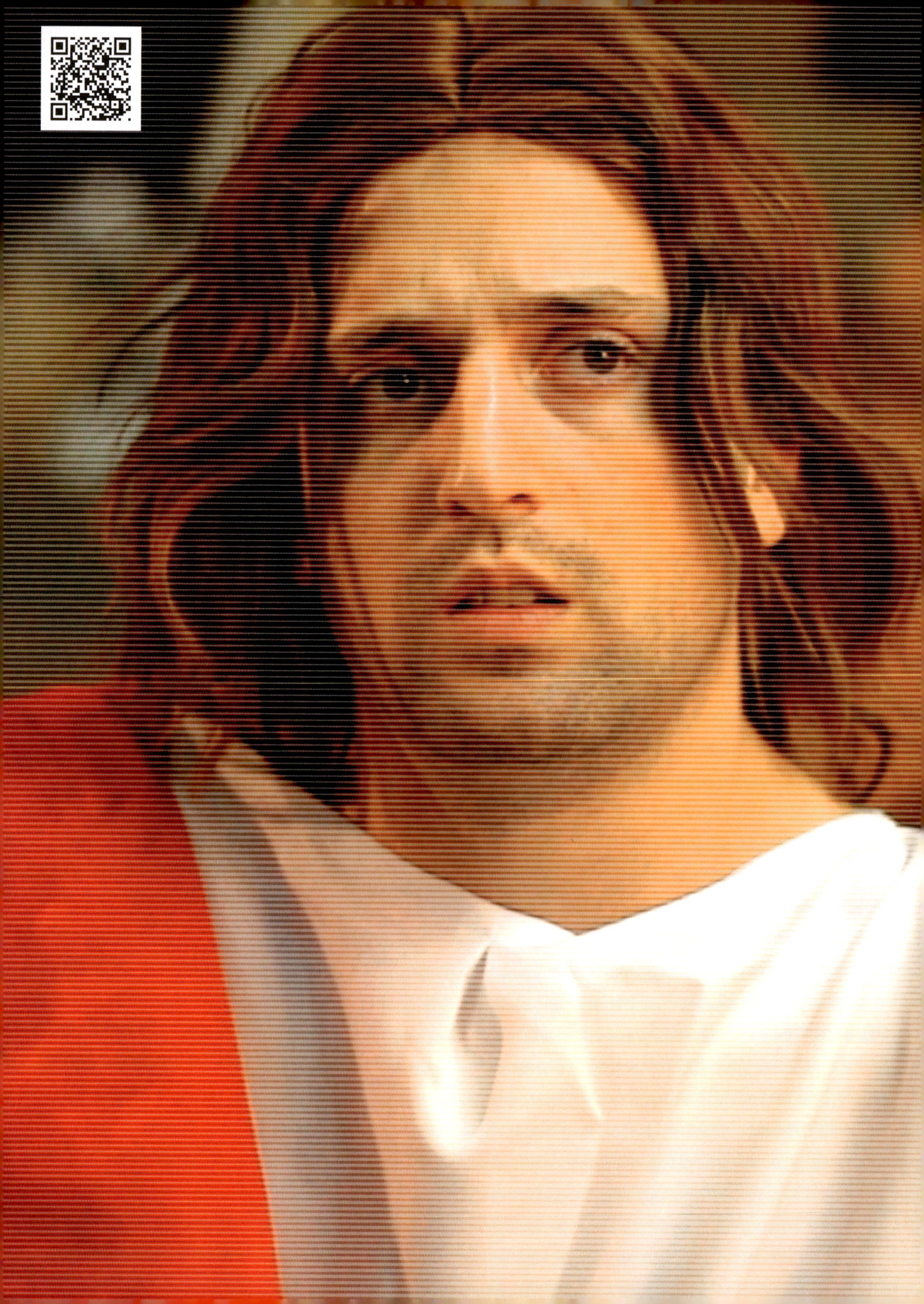

SETOR DE RH: JESUS

roteiro ▶ Antonio Tabet

> **J**ESUS É DEZ! Jesus é o poder! Só Jesus salva! Tá... Jesus é mesmo o máximo. Mas por que só falam do nascimento e da vida adulta de Jesus? O que houve no enorme — e riquíssimo — período que inclui a pré-adolescência, a juventude e o início da vida adulta do filho de Deus? Jesus teve espinhas? Como ele reagiu aos primeiros pentelhos? Jesus se interessou pela Maria Madalena do outro lado da rua? Ele ligava pra casa dela e desligava quando ela atendia só pra sentir aquela afliçãozinha?
>
> E a vida profissional? Como teria sido a vida do mais brilhante estagiário que o mundo já viu? Foi aí que surgiu "Setor de RH: Jesus", uma comparação brutal com meus tempos de estagiário na Rádio Globo, em 1996, quando me chamaram de viado porque eu imprimia o roteiro pelo computador, em vez de usar a máquina de escrever.
> — A.T.

(Interior de uma carpintaria, em Nazaré, no ano 18 d.C. Orígenes, o carpinteiro, com roupas da época e cabelo comprido, escreve em papiros sobre uma mesa.)

ORÍGENES   *(para empregado)* — Tomé! Chama o estagiário aqui, por favor...
TOMÉ   *(para Jesus)* — Jesus!

(Jesus entra na sala.)

JESUS   — Pois não, seu Orígenes.
ORÍGENES   — Opa. Tudo bem, Jesus? Senta aí.

(Jesus senta na frente de Orígenes.)

ORÍGENES   — Você sabe que eu tenho o maior apreço por você, não é verdade? Você foi recomendado pelo José e tudo... mas infelizmente...
JESUS   — Ah, não! O senhor vai me demitir. O senhor me desculpa, eu posso me esforçar mais.

ORÍGENES — Não é questão de se esforçar... Você não pertence a esse mundo. *(mostra em volta)* Você não percebeu que isso aqui é uma carpintaria, caralho?

(Jesus faz cara feia.)

ORÍGENES — A gente aqui fala palavrão, cospe no chão, chama o colega pra ver o tamanho do cocô no banheiro, coça o saco e cheira. A gente coça e cheira, entendeu? Nós somos assim aqui... Fala um palavrão!

(Jesus olha pro chão, emburrado.)

JESUS — Bodega?

ORÍGENES — Teu palavrão é "bodega"?
JESUS — Bodega...
ORÍGENES — Quem foi que tirou os pôsteres da Madalena do banheiro?

(Jesus desvia o olhar.)

ORÍGENES — Quem foi?

(Jesus levanta a mão se entregando.)

ORÍGENES — Eu vou repetir. Isso aqui é carpintaria. A gente gosta de ver foto de puta, de vagabunda na parede. A gente aqui é sujo! A gente aqui é putão! Sabe 100% putão? Nós somos assim!
JESUS — Eu sou putão também. Deixa eu ser putão!

ORÍGENES — Jesus...
JESUS — Pergunta pro Mateus...
ORÍGENES — Jesus, a gente olha pra você e vê que é um menino educado, que fala direito, é inteligente, é um menino limpo, asseado... Se fosse só isso... mas o trabalho não tá rendendo!
JESUS — Opa! O senhor pode até me mandar embora, mas pera lá! O trabalho tá sendo bem feito. Não pode dizer que eu não tô me esforçando!
ORÍGENES — Não?
JESUS — Não.
ORÍGENES — Então me responde que merda é aquela ali? (*aponta para uma cadeira moderna de aço inox*)
JESUS — Uma cadeira.
ORÍGENES — Eu, com vinte anos de negócio, e você quer me convencer que aquilo ali é uma cadeira? Fique sabendo que a sua cadeira tá encalhada junto com aquelas outras merdas. É, sua cadeira encalhou. Encalhou que nem aquelas merdas ali. O que é aquilo? (*mostra outros objetos modernos, como laptop e celular*)
JESUS — Costumo chamar de (*faz sinal de aspas com os dedos*) gadgets.
ORÍGENES — Gagés?!
JESUS — Gadgets.
ORÍGENES — Gagés?
JESUS — Vai ser uma tendência no futuro.
ORÍGENES — Tem nem onde ligar essa merda!
JESUS — Esqueci dessa parte...
ORÍGENES — A tendência, meu amigo, é que as pessoas comprem belas cadeiras de madeira, entendeu? É isso, meu filho.
JESUS — (*triste, conformando-se*) — Tá bom, já entendi... E o senhor quer que eu fique até o fim do mês ou...?
ORÍGENES — Não, Jesus, pode ir. Tá dispensado, obrigado.
JESUS — Só queria deixar claro que isso que você tá fazendo comigo é... uma... uma grande de uma injustiça, tá... Filho da mãe!

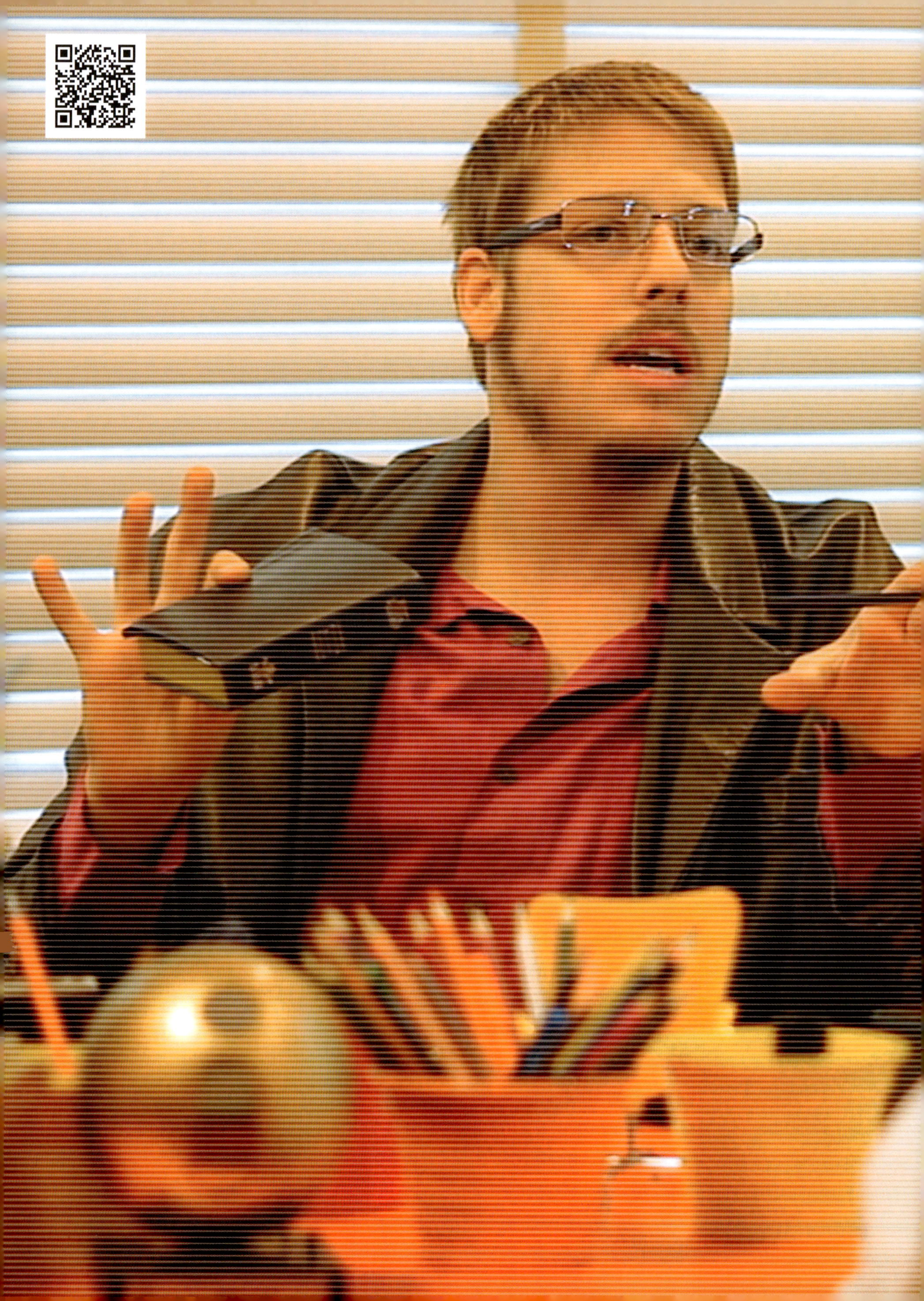

BRAINSTORM

roteiro ▶ **Fábio Porchat**

Este é um dos meus textos preferidos. Eu o escrevi em 2006 e cheguei a representá-lo no teatro, ao lado do sempre genial Marcelo Adnet, no Festival de Humor do Rio de Janeiro. Ele fazia o editor, e eu, o assistente com quem ele conversava (não era um bispo). Ganhamos o festival como melhor esquete eleito pelo júri popular. Nos ensaios incluímos muitos cacos no texto. Adnet contribuiu com ótimas tiradas que, quando fui fazer no Porta, reproduzi.

Adoro esquetes religiosos e gosto de brincar com temas polêmicos, como a Bíblia, que conheço razoavelmente bem. Por outro lado, odeio aqueles caras que se acham super-hiper-megacriativos e só dão ideias idiotas. Um sujeito que não conhece a Bíblia é um bom ponto de start.

Resolvi transformar o personagem do assistente em um bispo por causa do momento que a Igreja Católica vive, perdendo cada vez mais fiéis. Isso poderia ter levado o bispo Carmelo a procurar alguém com ideias modernas. — F.P.

(*Um bispo e um publicitário estão sentados frente a frente na sala do publicitário. O publicitário se levanta rapidamente, fazendo um barulho como se houvesse inalado algo. Fica implícito pelo seu gesto e pela reação do bispo que ele acabou de cheirar cocaína.*)

PUBLICITÁRIO — Bispo Carmelo, quer beber alguma coisa? Tem certeza, hein? (*pega um maço de cigarros*) Pode fumar aqui, aqui não é São Paulo, não. Bom, vamos às vacas magras. Aquele papo lá que você tinha me dito e que eu pesquei, essa coisa de vocês estarem perdendo fiéis. É verdade. Acompanhei as pesquisas e vocês estão perdendo fiéis. Aí eu dei uma olhada naquele livrinho que você me deu... bacana ele, ele é o quê? Como é que chama... tem nome?
BISPO — É Bíblia.
PUBLICITÁRIO — Bíblia. Não é bom, o título não é bom. Como título, não pega e não vende. Pensei, de repente: *Quem mexeu na minha Bíblia?*

	50 tons de Bíblia. Isso se quiser manter "Bíblia". Se não quiser, tem uma rapaziada legal aqui no escritório pra pensar nisso pra você. De qualquer forma, bom. Bom material! Tem coisas excelentes aqui dentro! (*folheia a Bíblia*) Tem passagens em que eu ri muito, excelente. De qualquer forma, é longo.
BISPO	— É que, na verdade, é a história da humanidade.
PUBLICITÁRIO	— É, mas lá por Mateus tem uma barriga.
BISPO	(*surpreso*) — Barriga?!

PUBLICITÁRIO	— De repente, até cortaria isso aqui (*passa o lápis*). Isso aqui, eu cortaria tudo. Isso aqui também. É muito nome! É Jeremias, é o quê? É Salmos, quem é Salmos?! Ester, entendeu? Em Noé eu já tava achando... aaaah! Eu tiraria o personagem do rapaz.
BISPO	— Que rapaz?
PUBLICITÁRIO	— O principal.
BISPO	— Jesus?!
PUBLICITÁRIO	— Esse! Não entendi a função dele.

Ele tá lá por quê? Achei meio sem carisma, meio perdido. Ele é filho, ele não é? Quem que ele é…? Você tá entendendo? A coisa é muito rocambolesca. É tudo novela mexicana. Tudo é um drama. Aí ele morre… ele precisa morrer? De repente, ele não precisa morrer. De repente, ele viveu! Eu entendo a função, tem que ter um bonitão, cabeludo e tal, barba…

BISPO — Na verdade, ele é o personagem principal. Ele é o fio condutor da história…

PUBLICITÁRIO — Carmelo, eu tô aqui cuspindo ideia! Eu tô, ó. (*faz barulho como se cuspisse fogo*) De repente, a coisa da cruz talvez pudesse ser um pneu, você tá entendendo? Trazer mais pra hoje.

BISPO — Isso é uma história de dois mil anos!

PUBLICITÁRIO — Quer manter o personagem, mantém. Também não vejo necessidade de tirar ele. "Ah, quero! Me apeguei!" Vamo manter. Mas, de repente, a gente podia dar uma virada aí, um *turning point*. E, por que não?

	E se Jesus Cristo, esse é o nome dele, né? E se Jesus Cristo fosse uma mulher?!
BISPO	— Uma mulher?!
PUBLICITÁRIO	(*gesticula de forma impactante*) — Pow! Aaah! Heey! Hein?
BISPO	— Mas Cristo era homem!
PUBLICITÁRIO	— Quem disse que era um homem? Aí é que eu te peguei! De repente — por que não? — Cristo era uma mulher disfarçada de homem que tinha que vencer os preconceitos, vencer o machismo imperante, dominante naquela época. Porra, agora Cristo ganhou até uma importância, hein? Comecei a gostar desse cara. (*faz aspas com os dedos*) Cara.
BISPO	— Eu não acho que seja bom mexer, especificamente, nessa parte…
PUBLICITÁRIO	— Aaah, peraí! Uma Cléo Pires ia destruir num papel desses! Com aquele bocão, olhão… Porra! Isso dá um filme, porra! Isso dá um filme, Carmelo!
BISPO	— Olha, eu acho que isso aqui não está funcionando exatamente como nós estávamos…
PUBLICITÁRIO	— Duducha ia amar isso aqui! Vamo mandar pro Duducha, peraí. (*ao telefone*) Manda a… é Bíblia, né? Manda a Bíblia pro Duducha. Isso. Mas não manda nesse papel fino, não, que isso aqui é uma vergonha! Isso é um livro, não uma filipeta. Manda em couché. (*desliga o telefone*) Isso aqui ele vai amar! (*virando pro bispo*) Quem eu pensei pra fazer Deus é Seu Jorge.
BISPO	— Agora você foi longe demais. (*sai*)
PUBLICITÁRIO	— Peraí! O que que tem Seu Jorge? Ele fez *E aí, comeu?*, sucesso no cinema, traz público! Eu não vejo problema nisso!

TÉRMINO

DE NAMORO

roteiro ▶ **Gabriel Esteves**

U M CAMINHO QUE GOSTO DE USAR pra ter ideias é pegar clichês, lugares-comuns, e subverter. Foi o caso deste texto.
    Fiquei muito tempo na cabeça com o que todo homem diz quando termina um namoro: "A culpa não é sua. É toda minha." E se a culpa realmente fosse dele? Se ele agisse como um escroto, batesse na mulher, tivesse todos os defeitos do mundo, mas só quisesse mesmo terminar um relacionamento? Esse foi o mote do texto.
    O resultado final ficou ótimo, não só porque é uma situação que gera muita identificação do público, mas também pela atuação mais que perfeita da Clarice no papel da namorada maluca e pelos cacos imprevisíveis do Rafa. Sem querer, ele trocou a ordem dos verbos num momento crucial do roteiro. "Uma pessoa que grita quando apanha!" virou "Uma pessoa que apanha quando grita!" Impagável.   — G.E.

(Eduardo e Fernanda estão sentados no sofá assistindo à televisão. Fernanda está com um sorriso no rosto. Eduardo parece angustiado, como se quisesse dizer algo.)

EDUARDO — Fernanda… a gente precisa ter uma conversa séria.
FERNANDA — Não tem como esperar a novela acabar?
EDUARDO — Não, porque tá insuportável! Eu preciso te olhar e dizer que eu quero terminar.
FERNANDA *(surpresa)* — O quê??
EDUARDO — Quero terminar, mas a culpa não é sua. Não tem nada a ver com você. Você é ótima, o maior barato. O problema sou eu. A culpa é toda minha, tá?
FERNANDA — Peraí! Depois de tudo o que a gente passou, é só isso que você tem pra me dizer? Que a culpa é sua?!
EDUARDO — É isso. Olha só, Fernanda, eu não gosto de você. Eu te trato mal, eu chego aqui todo dia tarde, bêbado, eu me drogo, você tá dormindo, eu vomito, não limpo direito… eu não tenho emprego fixo. Eu te traí!

FERNANDA — A gente já conversou sobre isso, Eduardo! Eu já te perdoei! A menina é uma graça.
EDUARDO — Fernanda, eu trouxe uma puta pra morar com a gente aqui em casa!

(Abre o plano e tem uma puta sentada do outro lado do Eduardo, vendo televisão e comendo pipoca com cara de desentendida.)

EDUARDO — Natasha, não tem nada a ver com você. Tá tudo certo, tá?

FERNANDA — Eduardo, você tá sendo muito injusto. Muito injusto. Comigo e com a Natasha, que é uma flor com você!
EDUARDO *(gritando)* — Pois é, Fernanda, só que eu te bato. Eu bato em você!
FERNANDA — Isso é picuinha de casal... Pelo amor de Deus! Aconteceu uma vez, quatro, cinco! Acontece...
EDUARDO — Isso não é picuinha, isso é crime! *(gritando)* Bater é crime!
FERNANDA — Não é isso, não... Tô vendo nos seus olhos que é outra coisa. Que que é? Não há motivo. Não, não, não. Você tá me escondendo alguma coisa... O que que você está me escondendo?

EDUARDO — Como é que eu tô te escondendo alguma coisa, Fernanda? Se o prédio inteiro escuta quando você apanha! Você grita! Uma pessoa que grita quando apanha, o prédio todo ouve! Eu desço e o porteiro me olha com cara de cu!

FERNANDA — A gente não tem que dar satisfação pra essa gentinha, Eduardo! Natasha, pelo amor de Deus, agora não! Desculpa. Obrigada, por favor.

(Natasha tá pagando boquete pra Eduardo e levanta a cabeça.)

EDUARDO — Presta atenção: o meu nome não é nem Eduardo. O meu nome é Zé Carlos, um bandido *(ressalta)* extraperigoso!

FERNANDA — Você só pensa em você, né? Tudo sou "eu"! "Eu sou um band…", "Eu sou extraperi…" Você não pensa em mim *(enfatiza)* um minuto!

EDUARDO — Fernanda, olha só. Eu sequestrei a sua mãe. O cativeiro era nesse quartinho de empregada, onde tava sua mãe só de calcinha. Como é que você não percebia o fluxo?! Que eu sequestrei a sua mãe?!

FERNANDA — Você *(alterada)* tinha que colocar a minha mãe no meio da discussão? Tinha, tinha!

	Aí, de repente, a minha mãe de calcinha não é "gostosa" o "suficiente" pra você! Eu não sei como consegui me envolver com uma pessoa tão egoísta como você…
EDUARDO	— Exatamente o que eu tô querendo te dizer! Como você pôde se envolver com alguém tão egoísta?
FERNANDA	— Ah! Agora sou eu que tô me fazendo de vítima! *(gritando)* Agora sou eu que tô me fazendo de vítima, né, Eduardo?!
EDUARDO	— Zé Carlos…
FERNANDA	— Ah! Agora sou eu que tô me fazendo de vítima, Zé Carlos?!
EDUARDO	— Mas você é uma vítima. Minha! Tem vinte minutos que tentei te esfaquear na cozinha. Tá vendo?! *(mostra a mão)* Isso aqui é sangue! Você está sangrando! Isso é seu sangue!
FERNANDA	— Vamos fazer o seguinte… viaja… pra Cancun, pra Aruba, pra Arraial do Cabo, pra onde você quiser! Eu pago. Eu fico te mandando inheiro, você vai com a Natasha. Pra você pensar "é isso o que quero?", "quero terminar?" Porque não acho que é isso que você quer… Você entende? Não é isso que você quer. Não é isso que você quer! Vamos fazer o seguinte: não vamos desperdiçar essas semanas lindas que a gente passou… tá legal?
EDUARDO	— Tá… Eu acho uma loucura. *(dá um tapa no próprio rosto)*
FERNANDA	— Não se martiriza, tá?
EDUARDO	— Você tem certeza disso, Fernanda?
FERNANDA	— Tenho, Zé Carlos.
EDUARDO	— Pode me chamar de Eduardo mesmo.
FERNANDA	— Tá bom. Vamos terminar de ver a novela e eu faço as malas, tá?

(Os dois se viram pra televisão. Eduardo puxa a cabeça de Natasha pro pau dele.) 🏃

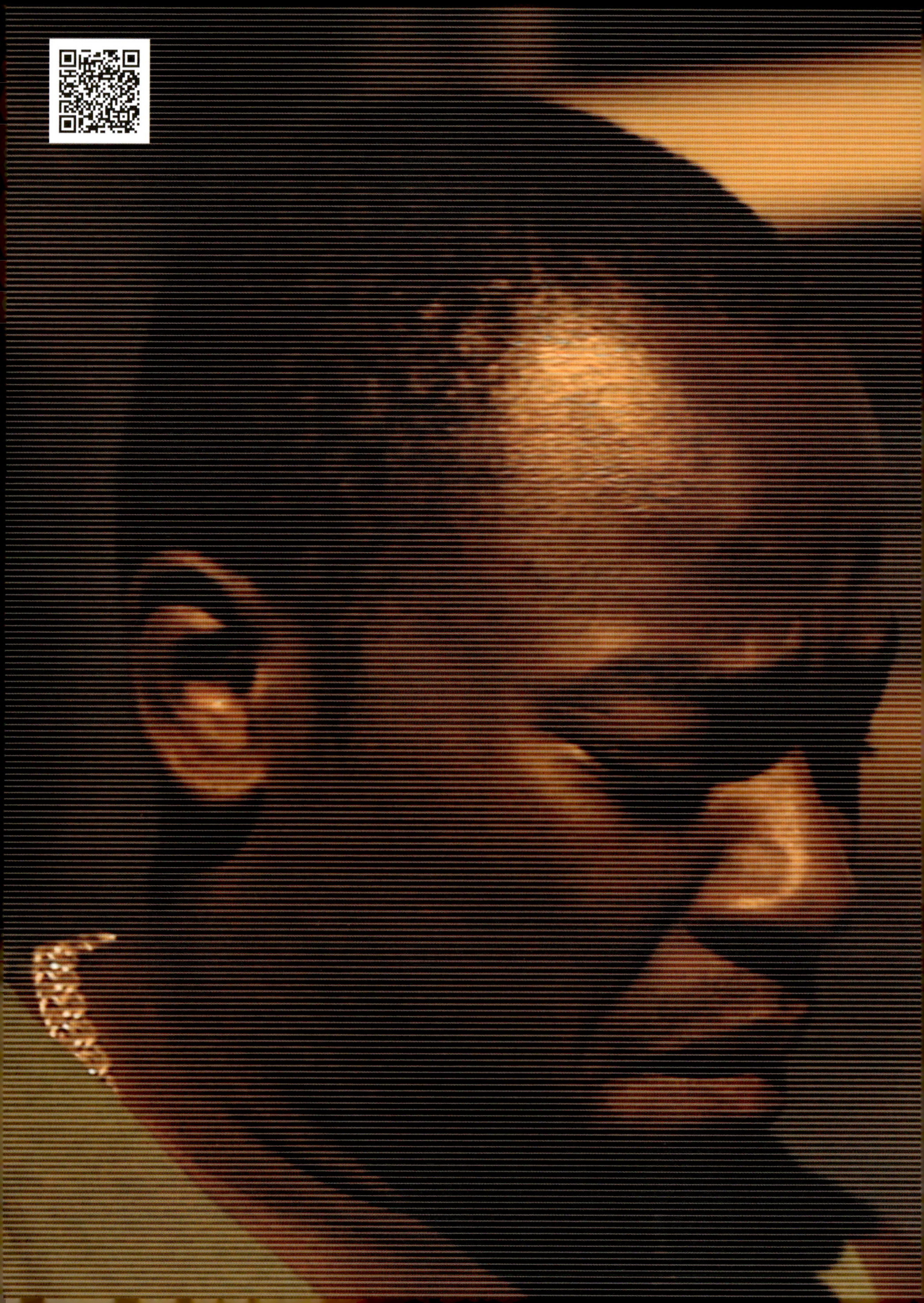

CICLO DA VIDA

roteiro **Fábio Porchat**

NO BRASIL SEMPRE TEM malandro passando a perna em malandro. O meu ponto de partida foi a malandragem ir escalando e depois voltar à estaca zero. Onde começa esse ciclo e pra onde vai?

Originalmente o motorista assaltado era um político do alto escalão, mas na reunião de texto eu falei que queria encontrar outra profissão para o personagem e todos concordaram. Ficamos pensando, mas não achávamos a solução. De repente, do nada me veio o pastor. Perfeito. Acho um retrato do Brasil e do brasileiro. Pena.

Por ser um vídeo que poderia gerar polêmica, eu, o Gregorio Duvivier e o Antonio Tabet resolvemos fazer os papéis de político, pastor e policial, chamando a responsabilidade pra nós mesmos. Convidamos o Douglas Silva, que é meu amigo e ótimo ator, pra fazer o traficante. Como ele trabalhou em *Cidade de Deus*, foi um toque especial, uma leitura a mais pro vídeo. — F.P.

(Rua deserta. Um homem dirige devagarinho, claramente perdido. Um traficante se aproxima.)

HOMEM *(pedindo informação ingenuamente)* — Opa, amigo! Tudo bem? Então, eu tava precisando de uma informação…?

TRAFICANTE *(dando um tapa na cara do homem)* — Ô filho da puta! Vem cá, tá pensando que vai passar aqui na minha área sem pagar o pedágio, rapá?!

HOMEM — Não, não! Desculpa aí, é que eu tava perdido. Mas eu já tô indo embora.

TRAFICANTE — Embora é o caralho! Tu só vai embora se me der o que tiver na carteira, entendeu? Senão, eu te meto bala!

HOMEM *(abre a carteira e mostra cem reais)* — Eu só tenho cem reais aqui, ó…

TRAFICANTE *(pegando o dinheiro)* — Cem reais?! Porra, mermão! Tu, com esta cara de riquinho, tu acha que tu só tem cem reais?! Eu sei que tu tem mais! Pode me dar mais aí. Vambora. Mais, mais, mais!

(*Ao fundo, um policial vem se aproximando dos dois.*)

POLICIAL (*chega dando tapa na cara do traficante*) — Que porra é essa aqui, Chatuba?
TRAFICANTE — Ô, Da Silva!
POLICIAL — Que porra é essa aqui, Chatuba?
TRAFICANTE — Não tá acontecendo nada…
POLICIAL — Tu quer me foder na minha rua?
TRAFICANTE — Não! Que isso…
POLICIAL — Tu quer me foder na minha rua, rapá?!

TRAFICANTE — Ô, Da Silva! Pra mim, o senhor tava de licença, entendeu?
POLICIAL — Licença de cu é rola! Tu tá cobrando pedágio de otário na minha área?
TRAFICANTE — Não, não! Não é nada disso que o senhor tá pensando…
POLICIAL — Porra! Quanto é que ele te deu?
TRAFICANTE — Só me deu cem reais.
POLICIAL — Cem reais?!
TRAFICANTE — Só cem reais… (*pro homem*) Não foi, amigão?

105

HOMEM	— Foi só cem reais…
POLICIAL	(*pro homem*) — Cala a boca, porra! Porque eu não tô falando contigo! Abaixa aí. (*pro traficante*) Cem reais?!
TRAFICANTE	— Cem reais…
POLICIAL	— Com esse carro?
TRAFICANTE	— É, né…
POLICIAL	— Com essa cara, ele te deu só cem reais?!
TRAFICANTE	— Eu falei a mesma coisa…
POLICIAL	— Abre a porra da carteira!

TRAFICANTE	— Ah, não, Da Silva! De novo…
POLICIAL	— Abre a porra da carteira, Chatuba!
TRAFICANTE	— Ô, Da Silva! É a pensão da minha filha aí…

(*Traficante entrega quinhentos reais pro policial.*)

POLICIAL	— Filha é o caralho! Que não tinha nem que ter filha, um vagabundo que nem tu, porra! Agora, sim! Agora a brincadeira ficou bonita…

(*Ao fundo, um homem se aproxima.*)

POLÍTICO (*colocando as mãos de forma agressiva no rosto do policial*) — Ô, sargento! Como é que tá? Bom lhe ver!
POLICIAL — Ô, deputado! Tudo bem com o senhor?
POLÍTICO — Bom lhe ver! Que bacana...
POLICIAL — Satisfação...
POLÍTICO — O senhor tá fazendo o que aqui? Porque, realmente, ajudando na campanha, panfletando lá em cima, não estava!
POLICIAL — É... uma ocorrência aqui...

POLÍTICO — Ah! Ocorrência! Que ocorrência é esta? (*nota o dinheiro na mão do policial*) Tava cobrando pedágio na minha área?
POLICIAL — Negativo...
POLÍTICO — Negativo?! Que dinheiro é este aqui? Tava cobrando pedágio do pessoal? Tava? Hein? Tem certeza?
POLICIAL — Negativo...
POLÍTICO — Tava não?!
POLICIAL — Houve uma ocorrência aqui...
POLÍTICO — Que ocorrência é esta? (*pega o dinheiro*)

	Hum... *(esfrega o dinheiro na cara do policial)* Esta ocorrência tá me cheirando mal! Que ocorrência é esta?!
POLICIAL	— Isso aí é evidência da operação...
POLÍTICO	— Evidência?! Esse dinheiro aqui é evidência?
POLICIAL	— Estes quinhentos reais iam, inclusive, pro malote da campanha do senhor...
POLÍTICO	— Ah! É pra malote de campanha nota de dois reais? É essa merda que você tá conseguindo pra mim, Da Silva? É?!

POLICIAL	— Negativo, senhor! Tem, inclusive, mais uma verba aqui que eu tinha...
POLÍTICO	— Deixa eu ver... *(pega o traficante)* Porque este bonitão aqui tem muito mais dinheiro que você...

(Policial abre a carteira e o político faz uma limpa.)

POLÍTICO	— Isso! Me dá esse dinheiro aqui...

(O homem dentro do carro observa o desenrolar dos acontecimentos.

Ele olha para o grupo como se tivesse notado algo.)

POLICIAL	— Não, inclusive…
POLÍTICO	— Olha aí! Agora sim! Nota nova, hein! Que bonito… cheirando bem…
HOMEM	*(vendo o político)* — Alexandre?!
POLÍTICO	*(perplexo)* — Ô, pastor! Como vai? Tudo bem com o senhor?
HOMEM	*(dando um leve tapa no rosto do político)* — Tudo bem?
POLÍTICO	— Maravilha… Tudo certo?
HOMEM	— O que tá acontecendo aqui, hein?

(O homem também cumprimenta os outros com um tapinha no rosto.)

POLÍTICO	— Tá acontecendo um grave equívoco aqui, pastor…
HOMEM	— Quem é esse pessoal aqui, hein?
POLÍTICO	— Esse pessoal aqui trabalha comigo. Tá tudo bem…
HOMEM	*(nota o maço de dinheiro)* — É?
POLÍTICO	— É…
HOMEM	— Quanto é que tem aí?
POLÍTICO	— Aqui tem exatos mil reais. Exatos mil aí, que eu tava coletando pro dízimo, pastor.
HOMEM	*(pegando o dinheiro das mãos do político)* — Como é que a gente multiplica esta brincadeira aqui, hein?
POLÍTICO	*(esvazia os bolsos e olha para os outros balançando a cabeça)* — A gente vai multiplicar agora!
POLICIAL	— Opa!
TRAFICANTE	— Eu não tenho nada aqui…
POLÍTICO	— Acha alguma coisa aí…
HOMEM	— Ó, não enruste, não! Não enruste, não, que Jesus tá vendo!

(Todos esvaziam os bolsos.)

NOME DO BEBÊ

roteiro ▶ **Gregorio Duvivier**

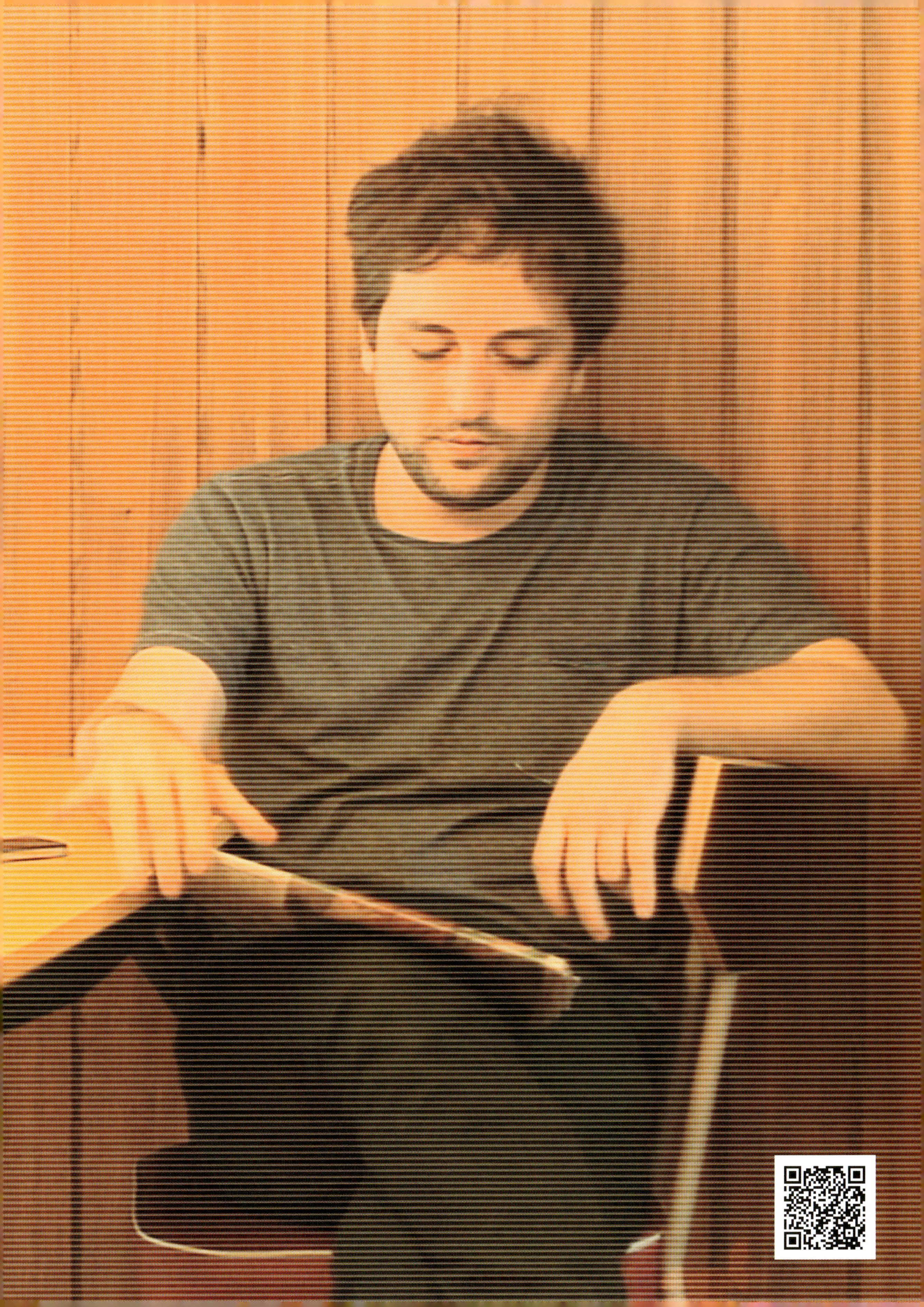

TENTA DIZER UM NOME em voz alta. Sempre vem um rosto, uma voz, uma história. Tenta. Fala Ronaldo em voz alta. Fala. Ronaldo. Pronto. Agora as pessoas do seu lado estão te vendo falar sozinho. E estão te vendo falar sozinho o nome Ronaldo. Provavelmente não veio um rosto, uma voz nem uma história. Veio só a vergonha de estar obedecendo tudo o que um livro diz. E a vergonha por todo mundo agora achar que você tá apaixonado por um Ronaldo. Você tem que ser mais criterioso e parar de fazer tudo o que os livros mandam. — G.D.

(*Mesa do café da manhã. Jorge está sentado lendo o jornal. Márcia, visivelmente grávida, entra e senta na cadeira à sua frente.*)

MÁRCIA — Jorge...
JORGE (*segue lendo o jornal*) — Hum...
MÁRCIA — Eu acho que a gente devia começar a pensar no nome...
JORGE (*olha para ela*) — Já?!
MÁRCIA — Já?! Tô de oito meses! Mês que vem, nasceu e põe o quê?
JORGE (*coloca o jornal de lado*) — Tá, vamo lá, amor... Vamos fazer o seguinte, você diz um nome e, aí, imaginamos como ele vai ser...
MÁRCIA (*animada*) — Tá, tá!
JORGE — A gente imagina esse nome e que pessoa que ela vai ser...
MÁRCIA — Muito bom! Deixa eu ver aqui!
JORGE — Vamo lá...
MÁRCIA — Deixa eu ver... Wagner!
JORGE — Wagner eu imagino um jogador de futebol.
MÁRCIA — É um nome de atleta, forte.
JORGE — Eu imagino um cara forte... torneado.
MÁRCIA — É...
JORGE (*olhos fechados visualizando a cena*) — Não sei por que, eu imagino ele saindo da piscina. Vindo na minha direção, devagarinho. Imagino a blusa coladinha no corpo, sabe? Toda molhada.

MÁRCIA — Ele entrou de blusa na piscina, Jorge?
JORGE (*ainda de olhos fechados*) — Tava calor... Aí ele sai com o cabelo molhado na cara e aqueles gominhos (*aponta para a barriga*), sabe? Aquele tanquinho definidinho. E um mamilo um pouco intumescido à mostra. E ele sacode o cabelo e pega um Gatorade. E toma o Gatorade... e eu imagino o Gatorade escorrendo pelo corpo, até cair um pingo certinho naquele mamilo que tava intumescido, e fica ali. Será que cai ou será que não cai?

MÁRCIA — Hum, não. Tô achando que Wagner, não, né?
JORGE (*abre os olhos*) — Wagner é bom! Pô, já tinha me apegado a Wagner.
MÁRCIA — Tô achando um pouco... Sei lá, prefiro um nome mais sério.
JORGE — Você quer um nome mais sério?
MÁRCIA — É. Assim, um Marcos!
JORGE — Marcos?!
MÁRCIA — Marcos!
JORGE — Marcos... Marcos é bom.
MÁRCIA — Melhor, né?

JORGE — Marcos é bom também. Eu fico imaginando um advogado.
MÁRCIA — É! Um cara de terno.
JORGE — É um nome sério mesmo. De terno. (*fecha os olhos*) Aquele terninho bem-cortado, né? Acinturado assim, moderno, sabe? Aquele terno justinho, mas de respeito! E por baixo do terno? O que você imagina?

MÁRCIA — Uma camisa, uma gravata normal. Bem normal.
JORGE — Uma gravata normal. Mas, por baixo da gravata, uma blusinha, talvez de seda, né? Daquelas que deixam entrever… daquelas que sugerem sem mostrar nada.
MÁRCIA — Tá. Mas ninguém ia respeitar muito ele de blusinha…

JORGE   (*olhos ainda fechados, se exaltando*) — Claro que ia respeitar, porra! Tem que respeitar, porra, sou um puta advogado! Entendeu? Ele é um puta advogado, dono da firma! Aí ele tira o terno na reunião e você vê aquela blusinha de seda, sabe? Sugerindo tudo que tem por baixo... Mas você tem que imaginar por que ele não tá mostrando na-da. Pode pedir que ele não mostra. Aí ele sacode o cabelo encaracolado e imagino ele prendendo o cabelo num rabo de cavalo com a maior habilidade do mundo... E, enquanto ele prende, vai falando... de alíquota, prazos, data vênia... e prendendo aqui, ó. E sugerindo aqui, ó (*indica sua axila*), toda uma axila depiladinha, sabe? Um bíceps aqui, bem ó (*bate no bíceps indicando força*) definido...

MÁRCIA   — E se for menina?
JORGE   (*abre os olhos, voltando a si*) — Oi?!
MÁRCIA   — E se for uma menina? Menina!
JORGE   (*levemente decepcionado*) Menina... Pensei num nome de menina assim... Mônica.
JORGE   — Mônica...
MÁRCIA   — Nome bom... Nome de mulher gostosa mas inteligente! Mulher bonita, bem-sucedida, alta, casada...
JORGE   — Casada com um cara... Antonio. Antonio Pedro. (*fecha os olhos*) Grisalho, porém não careca. Imaginou? Um toque suave, um jeitinho manso de falar... um hálito... doce, porém não enjoativo. "Oi, Antonio?"

(*Márcia parece desolada. Jorge continua.*) 🏃

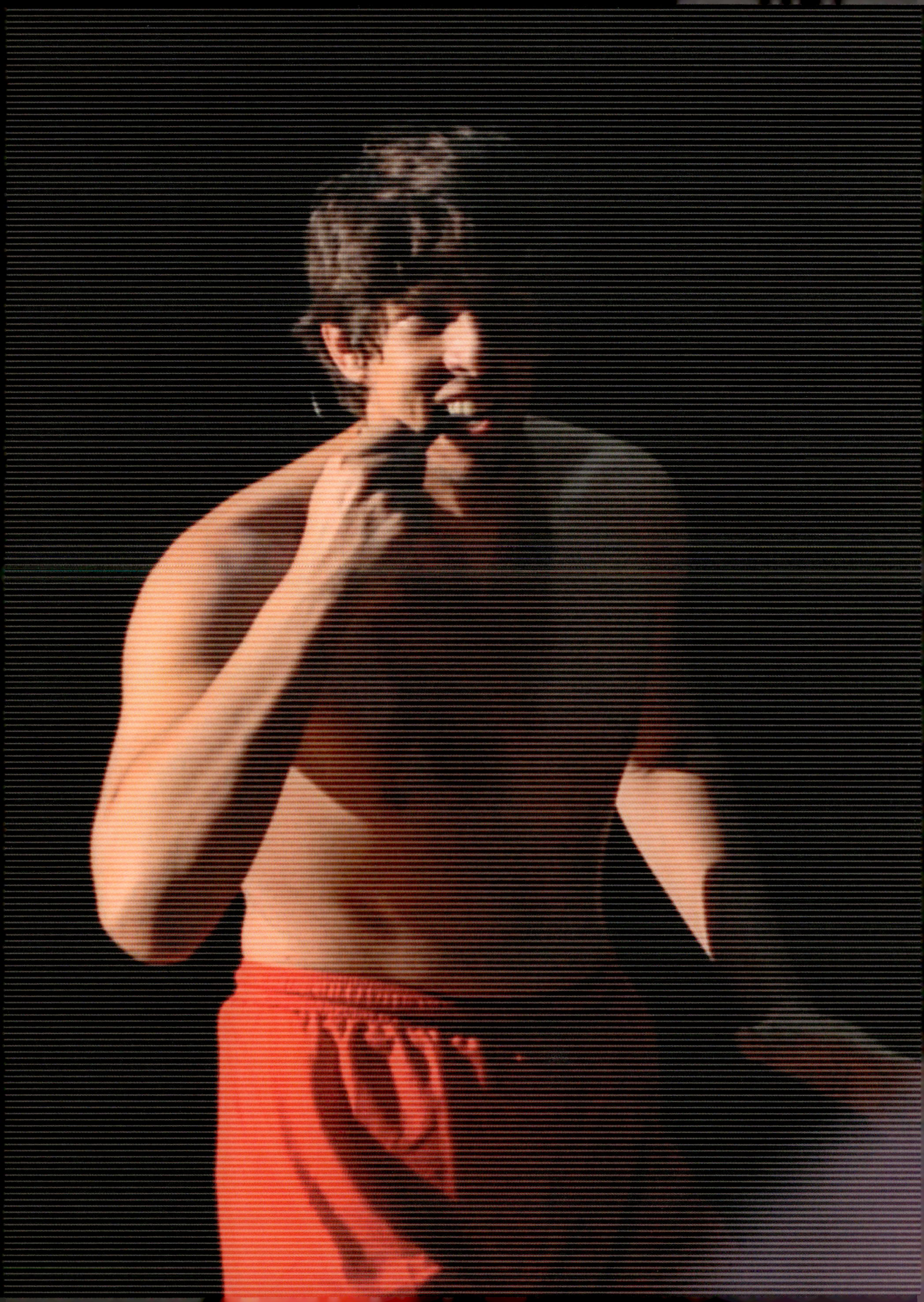

TESTE PRA SACI

roteiro ▶ Fábio Porchat

RACISMO É UM ASSUNTO DELICADO e, por isso mesmo, ótimo de ser explorado. Em tempos de "politicamente correto", um cara branco querer fazer o papel do Saci no teatro me pareceu instigante. Uma excelente discussão, inclusive. Quem pode fazer o que hoje em dia? O que está certo, o que está errado?

    Os valores mudaram, as pessoas mudaram e existe um medo pairando no ar de você ser racista, homofóbico, machista. As pessoas não estão sabendo lidar com essas questões. Ficam inseguras quando se deparam com assuntos como esses. É um esquete sobre constrangimento, algo de que a gente gosta bastante.

— F.P.

(*Interior de um teatro. Na plateia, diretor e assistente veem uma cena para fazer triagem de atores. No palco, um ator negro faz o teste para Saci-Pererê, vestindo a roupa clássica do personagem e pulando numa perna só. Ele está no meio do teste.*)

SACI   — Volta pra casa por bem ou por maaaaallllll!!! (*faz um rodopio de Saci*)
DIRETOR   (*bate palmas*) — Tá ótimo, Francisco! Muito obrigado. Foi excelente. (*fala com assistente*) Que bom, né? Maneiríssimo. Vamo lá, tô animado! (*grita pra coxia enquanto o Saci sai*) Próximo!

(*Entra Paulo, um rapaz branco, vestido como Saci.*)

PAULO   — Boa tarde, sou o Paulo.
DIRETOR   — Desculpa, você…?
PAULO   — Eu vim pro teste do Saci.
DIRETOR   — É… Como assim?
PAULO   — Eu vim fazer o teste pra ser o Saci-Pererê no teatro, brasileiro.
DIRETOR   — Ahã. Ééééééééé…
PAULO   — Algum problema?
DIRETOR   — Acho que sim, né?

PAULO — Qual problema?
DIRETOR — É que o Saci é meio que... Você não quer fazer o teste pro Visconde de Sabugosa?
PAULO — No caso, eu só sei fazer o Saci mesmo. Eu preparei, tem voz, tem corpo...
DIRETOR — Você não é muito o perfil, né?
PAULO — Qual o perfil do Saci?
DIRETOR — Você é alto.

PAULO — O que é que tem? O Saci não pode ser alto?
DIRETOR — É, mas você imprime mais velho, né?
PAULO — Olha só, querido, eu não tô entendendo qual o problema de verdade. É porque eu sou gay? Porque eu tenho problema com droga, tenho dependência, porque eu gosto de cocô! Porque eu curto cocô na cara!
DIRETOR — Ô, amigo! Eu nem sabia desses detalhes!
PAULO (*faz aspas com os dedos*) — Detalhes.
DIRETOR — Características, enfim... Isso não tá aqui no seu currículo...
PAULO — Bom, mas e aí? Como é que fazemos? Eu começo?

DIRETOR — Você conhece a história do Saci-Pererê?
PAULO — Claro que eu conheço! É o folclore brasileiro.
DIRETOR — Então me conta aí. Conta a história do Saci. O Saci é um rapaz que...
PAULO — Ué, o Saci... o Saci... o Saci-Pererê tem gorro! Ele não tem uma das pernas, né? Mas acho que isso não é empecilho pro senhor.
DIRETOR — Todo mundo tem perna aqui.

PAULO (*alterado*) — Não é um (*faz aspas com os dedos*) problema os atores terem as duas pernas pro senhor? Não é?! A deficiência é um problema pro senhor?
DIRETOR — Não é.
PAULO — Meu braço mecânico é um problema pro senhor?
DIRETOR — Você tem um braço mecânico?
PAULO — Não, mas poderia ter. E estar, dignamente, trabalhando...
DIRETOR — Tá bom, Paulo. Vamos fazer o seguinte? Faz o teste então. Vai lá. Faz Saci-Pererê... faz Tia Nastácia... Dona Benta... Rabicó... Você tem dois minutos.

PAULO   (*pulando em um pé só, imita o Saci e põe o cachimbo na boca*) — Pedrinho! Onde você está?! Suncê está errado, Pedrinho! (*começa a bater o cachimbo nos dentes*) Suncê está errado! Volte por bem ou volte por mal! Iáááá!
DIRETOR   (*perplexo*) — Uau… né?
PAULO   — Minha pegada vai por esse sistema aí mesmo.

DIRETOR   — Muito obrigado, Paulo. A gente entra em contato!
PAULO   — Sei… Preconceito, hein. (*joga o gorro no chão*) Agora eu tô entendendo qual é a desse Monteiro Lobato! (*sai*)
DIRETOR   — Próximo!

(*Entra um ator negro.*)

DIRETOR   — Não te deram a roupa de Saci?
ATOR   — Eu vim fazer teste pra Pedrinho. 🏃

121

TRAGO A PESSOA AMADA

roteiro ▶ Gabriel Esteves

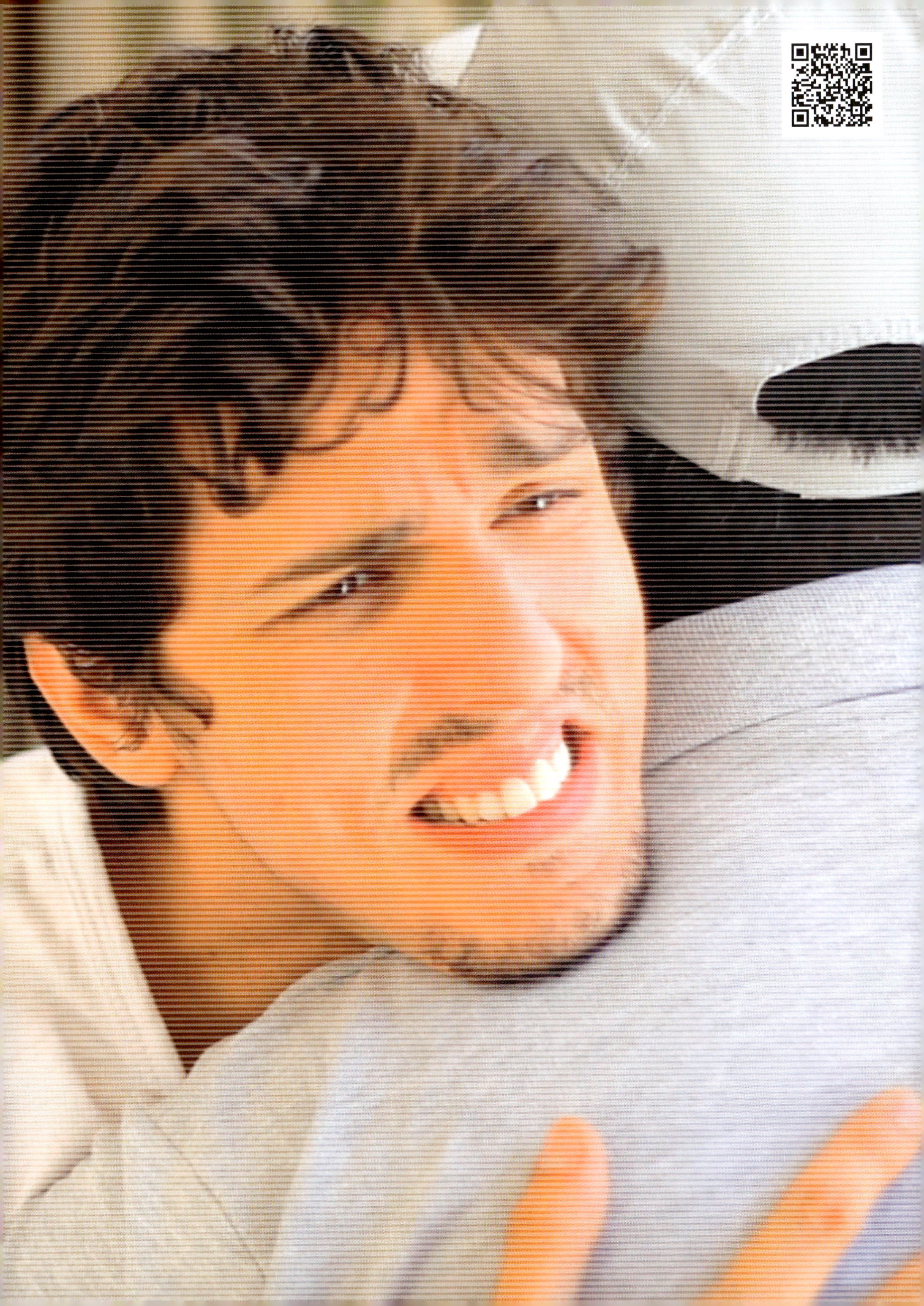

> **V**OCÊ NUNCA SE PERGUNTOU como esses pais de santo trazem a pessoa amada? É mágica, reza, sequestro? Comecei a imaginar como eu faria se tivesse esse trabalho. Desmistificando e ridicularizando a mágica por trás daquilo, o vídeo mostra que o único jeito é chegar pro cara e falar: "Amigo, vem comigo. Tua mulher tá te esperando."
>   O texto também faz um paralelo com a realidade do entregador de pizza, só que em vez de pizza é gente, e no lugar da pizzaria, um macumbeiro.
>   É um dos meus roteiros preferidos. Um humor mais de sacada. Quando você entende a piada no início, já compra a ideia toda do vídeo.
> — G.E.

(Por uma porta envidraçada, vemos o rosto de um homem do lado de fora, batendo no vidro. O dono da casa abre.)

MARCOS — Que isso?!

ENTREGADOR — Opa! Boa tarde! É aqui que mora o seu Marcos?

MARCOS — Sou eu...

ENTREGADOR — Prazer, meu nome é Chico...

MARCOS — Prazer, Chico...

ENTREGADOR — Eu vim buscar o senhor... Vamo lá?

MARCOS — Buscar? Buscar pra onde?

ENTREGADOR — Eu presto serviço pro Pai Vicente de Ogum, e aí a tua ex-mulher, a... Sheila, ela foi lá e fez um trabalho com ele pra trazer a pessoa amada em três dias...

MARCOS — Peraí... a Sheila fez *(alterado)* macumba pra mim?!

ENTREGADOR — Tá em processo ainda, né? Porque ela deu entrada na sexta-feira, aí tem fim de semana, que a gente não funciona, e no início da semana eu tive uns problemas também... acabou que atrasou tudo e tal... Mas vamo lá?

MARCOS — Chico... olha só, querido, eu simplesmente não vou!

ENTREGADOR	— Ô, seu Marcos! Vamo lá! É aqui pertinho...
MARCOS	— Eu não vou!
ENTREGADOR	— Não, vamo lá.
MARCOS	— Não adianta insistir que eu não vou!
ENTREGADOR	— Pô, seu Marcos! Quebra essa aí pra gente! Só falta o senhor pra eu bater a minha meta...

MARCOS	— Meta?! Você tem meta?!
ENTREGADOR	— São três entregas por dia. Tô até aqui com o pessoal. Vem cá, Claudio. Esse aqui é o Claudio, *(apresenta Claudio a Marcos)* que tá voltando pra Bianca hoje. Claudio tá sempre aí com a gente, né não? O Djair *(faz a apresentação)*, que a gente tá fazendo aqui a primeira entrega com ele... Tá gostando, cara?

DJAIR (*faz que sim com a cabeça*) — Pô...
ENTREGADOR — Maneiro, né não? Fala pra ele aí. (*para Marcos*) Então, vamo lá!
MARCOS — Como é que você conseguiu convencer essas pessoas a seguirem você?
ENTREGADOR — Ih, rapaz! É muito tempo fazendo entrega!

MARCOS — Deixa eu te explicar. Eu te entendi. Você é supersimpático, tem uma energia boa, agradável. Mas, olha só, eu não vou poder te acompanhar. Não tô num momento bom com a Sheila. Pode ser esquisito... pode dar barraco.
ENTREGADOR — Olha só, o negócio lá é o seguinte: a gente leva a pessoa "amada", não precisa o senhor estar amando. O senhor vai lá, só assina e volta pra casa! Eles que se virem!

MARCOS — Querido, olha. Eu tô com uma namorada nova aqui.
ENTREGADOR — Pai Vicente me falou da Cíntia.
MARCOS — Você sabe da minha namorada, Cíntia?
ENTREGADOR — Pois é... Eu não consigo enganar ninguém, eu tenho uma ética de trabalho e... É o seguinte: o ex da Cíntia fez lá o trabalho pra ela voltar em três dias também...

(Marcos leva as mãos ao rosto.)

ENTREGADOR — Senhor... a Sheila te ama de verdade.
MARCOS — Ela te falou isso?
ENTREGADOR — Ela tá sentindo muito a tua falta.

(Marcos se emociona.)

ENTREGADOR — Por que não viver isso, né? *(Marcos o abraça)* Você é meu amigo também, cara.

(Todos se juntam num abraço grupal.)

ENTREGADOR — Opa! Vamo lá então, gente? Que ainda preciso resolver um olho gordo... duas zicas e um impotente. Vamo entrando na van? Organiza aí! O senhor rubrica aqui, por favor, seu Marcos... 🏃

BARATA NO BANHEIRO

roteiro ▶ Gabriel Esteves

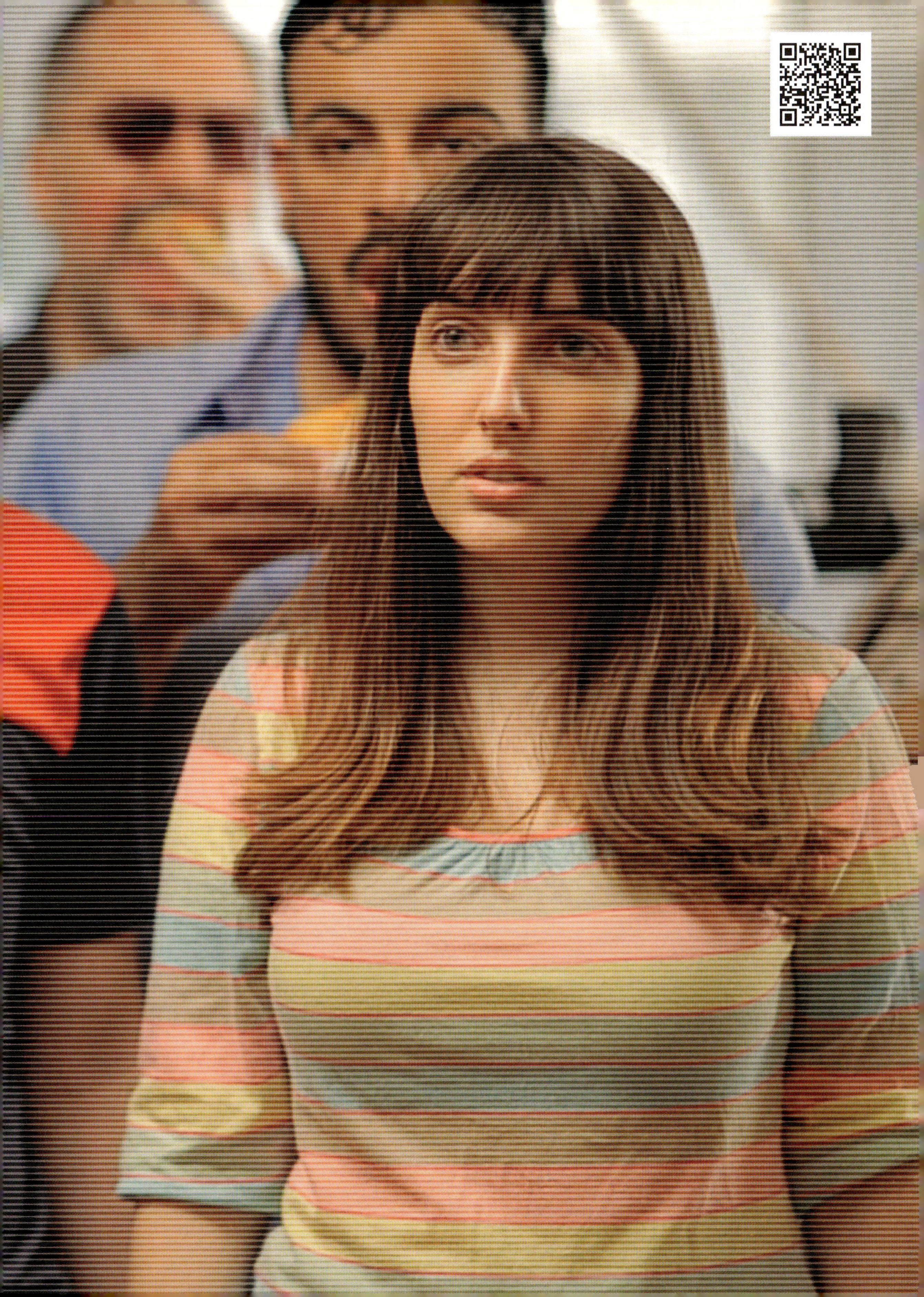

Tenho uma teoria de que todo mundo tem medo de barata. Uns mais, outros menos, ninguém escapa. Eu tenho pavor e tento botar isso pra fora em forma de esquete.

É engraçado, por exemplo, quando aparece uma barata e algum medroso pede pra outra pessoa matar. O cara pega o chinelo, todo dono da situação, vai atrás dela, mas nunca mata tranquilo. Ou acaba dando pinta em algum momento, ou volta com uma desculpa do tipo "essa aí é grande, tá difícil".

Parti dessa ideia e pensei nos personagens aparecendo e as desculpas escalonando, como se o medo da barata estivesse representado no maior medo de cada um deles. E quando parecia que não dava mais pra piorar a situação, joguei a piada pra outro lado, com o padre batendo o joelho no bidê e o entregador de pizza chegando.

No final que escrevi, a esposa dava chilique com aquela zona e entrava no banheiro pra pôr um fim àquilo. Ela saía toda descabelada e comemorando por ter matado a barata e encontrava o marido sozinho, lendo jornal, na mesma posição inicial do vídeo. Era tudo da cabeça dela. Por uma questão de ritmo de edição, acabamos optando por trocar o final — e funcionou bem.

O curioso é que, quando levei esse texto pra reunião, não fazia a mínima ideia se ele era bom ou ruim. Era surreal demais, diferente de tudo o que a gente tinha feito. Eu podia ter descartado sem mostrar a ninguém. Acabou que todos adoraram, e o meu maior prêmio foi ver o Fábio não conseguindo continuar a leitura de tanto rir. Dos roteiros que escrevi, é o que mais gosto. — G.E.

(Gláucio está sentado à mesa da sala de casa, lendo jornal. Vânia sai gritando do banheiro.)

VÂNIA — Aaaah! Tem uma barata no banheiro! Ai, mata, Gláucio, por favor! Por favor, mata a barata.

(Gláucio se levanta e vai em direção ao banheiro.)

GLÁUCIO — Calma, amor! Aqui, ó.

(*Ele tira um pé do chinelo e mostra para Vânia. Depois entra no banheiro e fecha a porta.*)

VÂNIA — Ai, que susto!

(*Vânia fica esperando na sala. Pouco tempo depois, Gláucio volta do banheiro assustado.*)

VÂNIA — Matou? Matou a barata?
GLÁUCIO — Tem um cara no banheiro!
VÂNIA (*espantada*) — Um cara?!
GLÁUCIO — Do lado da barata tem um cara!
VÂNIA — Como assim, um cara?!
GLÁUCIO — Tem um cara lá, de calça jeans, camisa polo, tênis... Um cara. Você conhece esse cara?
VÂNIA — Não! Ele te viu?
GLÁUCIO — É claro que ele me viu! Já viu o tamanho desse banheiro?
VÂNIA (*nervosa*) — Ai, meu Deus! Aaah!
GLÁUCIO — Você não viu um cara do lado da barata?!
VÂNIA — Não! Claro que não! O que a gente vai fazer?

(*Corta pra Gláucio abrindo a porta de casa pro porteiro.*)

PORTEIRO — Onde ele tá?
GLÁUCIO — Lá dentro. No banheiro, ali.
PORTEIRO — Banheiro é aqui, né? Com licença...

(*Porteiro entra no banheiro. Pouco tempo depois, volta correndo, nervoso e ofegante.*)

PORTEIRO — Rapaz, o cara tá armado lá dentro!
VÂNIA (*incrédula*) — O quê?!
PORTEIRO — O homem tá armado, minha Nossa Senhora! Meu Deus! Na hora que eu entrei tava uma muié passando com um carrinho de bebê. Ele sequestrou foi os dois!
GLÁUCIO — Que mulher?! Que carrinho de bebê que tava passando?

| PORTEIRO | — Meu Deus do céu, seu Gráucio! O homem, aqui dentro, tá pedindo cinco milhão de dólares e uma viagem pro Camboja! Valha-me Deus! Ah, meu Deus do céu! |
| GLÁUCIO | — Meu Deus... Eu vou chamar a polícia. |

(Corta pra Gláucio abrindo a porta de casa pra um policial.)

POLICIAL	— Opa, bom dia! Onde é que eles estão?
GLÁUCIO	*(aponta)* — No banheiro.
POLICIAL	— Tão dentro do banheiro? *(gesticula para Vânia)* Dentro do banheiro, moça?

(Policial entra no banheiro com a arma em punho. Pouco tempo depois ele volta com a camisa rasgada, todo ensanguentado, caindo no chão. Gláucio, Vânia e o porteiro ouvem o relato dele, pasmos.)

POLICIAL	— Ele me mordeu, porra!
GLÁUCIO	— Quem? O cara?
POLICIAL	— Que cara? O bebê! O bebê zumbi me mordeu!
GLÁUCIO	— Bebê zumbi?
POLICIAL	— Tinha um cara lá, fui entrar na porrada com ele, a arma disparou sem querer e acertou a porra do bebê. Ele se transformou em zumbi, comeu o pai dele, arrancou a cabeça da mãe e veio morder minha mão, pô!

(Corta pra Gláucio abrindo a porta de casa. Entra uma caçadora de zumbis morena, estilo Lara Croft, e tira duas armas da cintura.)

CAÇADORA DE ZUMBIS	— Onde é que ele tá?
GLÁUCIO	— Tá no banheiro.

(Corta pra caçadora de zumbis cambaleando pelo corredor e tossindo muito. Todos ouvem a explicação dela, atônitos.)

CAÇADORA DE ZUMBIS	— Um acidente químico provocado pelo contato do sangue da bebê zumbi com o xampu abriu um portal no espaço-tempo, que libertou um monte de vampiros e demônios voadores...
GLÁUCIO	— Vampiro voador... Quem que resolve esse tipo de coisa?

(Corta pra Gláucio abrindo a porta de casa pra um padre carregando uma espingarda.)

GLÁUCIO	— Opa!
PADRE	— Onde eles estão?
GLÁUCIO	— No banheiro...

(Corta pro padre gemendo de dor e segurando o joelho.)

PADRE	*(demonstrando muita dor)* — Bati com o joelho no bidê! Tá doendo pra caralho! *(segue gemendo)*
GLÁUCIO	— E aí, alguém tá com fome?

(Corta pra Gláucio abrindo a porta pro entregador.)

ENTREGADOR	— Pediu pizza?
GLÁUCIO	— Opa, dá aqui. O dinheiro tá lá no banheiro.
ENTREGADOR	*(entrando no apartamento)* — Com licença.
GLÁUCIO	— Pagamento tá lá no banheiro, vai...

(O entregador hesita na porta do banheiro. As outras pessoas o olham comendo pizza. Ele entra. Pouco tempo depois, volta todo rasgado e ferido.)

ENTREGADOR	— Gente, Hitler voltou!
VÂNIA	— Mas... você matou a barata? 🏃

COM QUEM

roteiro ▶ Gregorio Duvivier

SERÁ?

COMO A MAIORIA das nossas ideias mais enlouquecidas, a do roteiro de "Com quem será?" partiu do Gabriel Esteves. Na versão dele, nossa protagonista esquecia a melodia da canção e começava a falar loucuras sobre os presentes. Sentimos que faltava alguma coisa.

Reescrevi com as falas cabendo na métrica de "Com quem será?", de forma que tudo que a Mariza cantasse parecesse uma continuação da cantiga infantil. E também adicionei algumas doenças venéreas, não sei por quê.

No vídeo, a Ritinha foi interpretada pela Manuela Monteiro, noiva do Esteves, e a Rosana por Bianca Caetano, nossa produtora, craque em papéis sem fala. O arremate final foi um caco da Clarice: "Quem vai cortar o bolo, gente?" — G.D.

(*Aniversário de Rosana, secretária da firma. O clima é de descontração. Rogério, marido de Rosana, é o engraçadinho da firma. Todos cantam "Parabéns pra você".*)

TODOS — ... muitos anos de vida.
ROGÉRIO — E pra Rosana é tudo ou nada?
TODOS — Tudo!
ROGÉRIO — Então como é que é? (*Rogério continua*) É pica! É pica! É pica, é pica, é pica! É rola! É rola! É rola, é rola, é rola! Aonde? É-no-seu-cu!!!

(*Todos riem, menos Rosana, que parece constrangida.*)

MARIZA — E o "Com quem será?", gente?

(*Todos cantam juntos.*)

TODOS — Com quem será, com quem será, com quem será que a Rosana vai casar? Vai depender, vai depender, vai depender se o Rogério vai querer.

(*Os dois se dão um estalinho. Só Mariza continua cantando, enquanto colegas batem palmas.*)

MARIZA — Ele aceitou, ele aceitou, tiveram dois filhinhos, mas o amor acabou. Mas não se separaram, não se separaram, por causa das crianças eles se acomodaram. (*os colegas param de bater palmas*) Passou um instante, vamo lá gente, passou um instante, o Rogério era alcoólatra e tinha uma amante. Pra se vingar, pra se vingar, a Rosana deu pro Marquinho do RH!

(*Marcos abaixa a cabeça, constrangido. Rogério entende tudo e parece revoltado.*)

MARIZA — O Rogério não sabia, acabou de saber que, além de corno, contraiu HIV.

(*Rogério fica chocado.*)

MARIZA — Quem foi que mandou esse viado comer a Ritinha lá do almoxarifado. (*vira para Ritinha*) A Ritinha engordou, autoestima tá mal e, pra compensar, ela fode com geral. A coisa tá séria, a coisa tá séria, a Ritinha contraiu quinze doenças venéreas.

(*Rogério vai tirar satisfação com Marcos. Um clima de constrangimento geral toma conta do escritório, apenas Mariza parece alheia à polêmica.*)

ROGÉRIO — Que porra é essa, Marquinhos? Que merda é essa?
MARIZA (*dispersa*) — Quem que vai cortar o bolo?
ROGÉRIO (*irado, continua*) —... tá comendo a Rosana? (*para Ritinha*) E, você, sua puta? Vai passar doença pras pessoas? Desculpa, Rosana... Ô Marquinhos, volta aqui! Parabéns é o caralho nessa merda!

(*Rosana olha para baixo desconsolada. Vemos a vela do bolo se apagando lentamente.*) 🏃

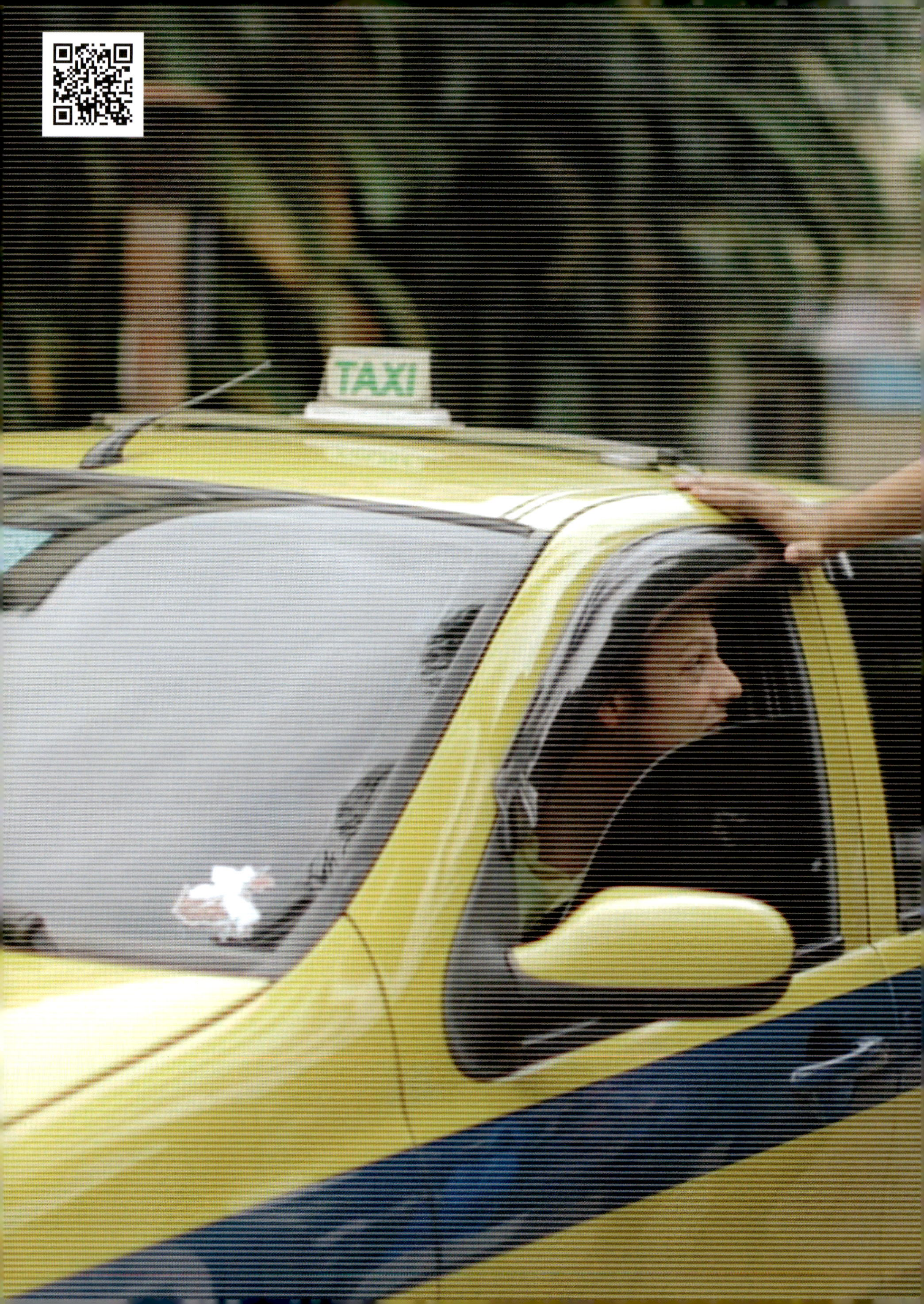
TAXI

TAXISTA

roteiro ▶ Fábio Porchat

> EU ESCREVI ESTE TEXTO num táxi. Estava na minha rua, fiz sinal e, antes de ser autorizado a entrar no veículo, passei por praticamente uma devassa na minha vida pra ganhar o aval do taxista. Sentei no banco de trás e comecei a escrever.
>   No Rio de Janeiro, taxista não gosta de pegar trânsito nem de levar passageiro muito longe. É mais ou menos como se o carteiro deixasse todas as cartas do bairro na casa de um morador — e o resto que se vire.
>   A brincadeira com o vidro sendo fechado aos poucos na cara do sujeito que quer pegar o táxi foi ideia do Ian. Eu assimilei e tentei transformar numa gag, quase como se fosse o passageiro vendo suas chances acabarem. O mais triste é que o taxista que emprestou o carro para a gravação achou a paródia bem verdadeira.
>   — F.P.

(*Homem está na rua esperando um táxi. Quando vê um se aproximando, faz sinal. O táxi encosta.*)

HOMEM (*ao telefone*) — Tá bom, então eu vou passar pra tua conta. (*para taxista*) Opa, tudo bem? (*tenta abrir a porta, mas ela está travada*) Abre aqui, amigo.

TAXISTA (*abrindo vidro*) — Tá indo pra onde, amigo?

HOMEM — Pro Centro.

TAXISTA — Sim, mas aonde no Centro?

HOMEM — Pra Praça da Cruz Vermelha...

TAXISTA — Mas tá indo fazer o que lá?

HOMEM — Tô indo pra casa da minha tia.

TAXISTA — Qual tia? Qual é o nome?

HOMEM — Dulce.

TAXISTA — Não, Dulce não tem como.

HOMEM — Peraí, já te ligo. (*desliga o celular*) Ô, amigo? Como assim?

TAXISTA — Tá indo lá por quê? É aniversário dela?

HOMEM — Não, tô indo visitar.

TAXISTA — Não tem como, não. Obrigado, hein! (*começa a fechar o vidro*)

HOMEM   — Oi, Oi! Como assim? Você conhece a tia Dulce?
TAXISTA   — É uma gordinha alta?
HOMEM   — Não.
TAXISTA   — Então não conheço, não. Falou! (*fecha mais um pouco a janela, deixando apenas uma fresta*)
HOMEM   — Peraí, cara, me leva aí. Tá superdifícil arranjar táxi aqui. Tô todo carregado, me leva ali, por favor.
TAXISTA   — Qual teu nome?

HOMEM   — Luiz.
TAXISTA   — Mas Luiz com quê? Com Z ou com S?
HOMEM   — Sei lá, com Z.

(*Taxista fecha o restante da janela.*)

HOMEM   — Não! Ô! Peraí!

(*Taxista vai embora.*)

NA LATA

roteiro ▶ Fábio Porchat

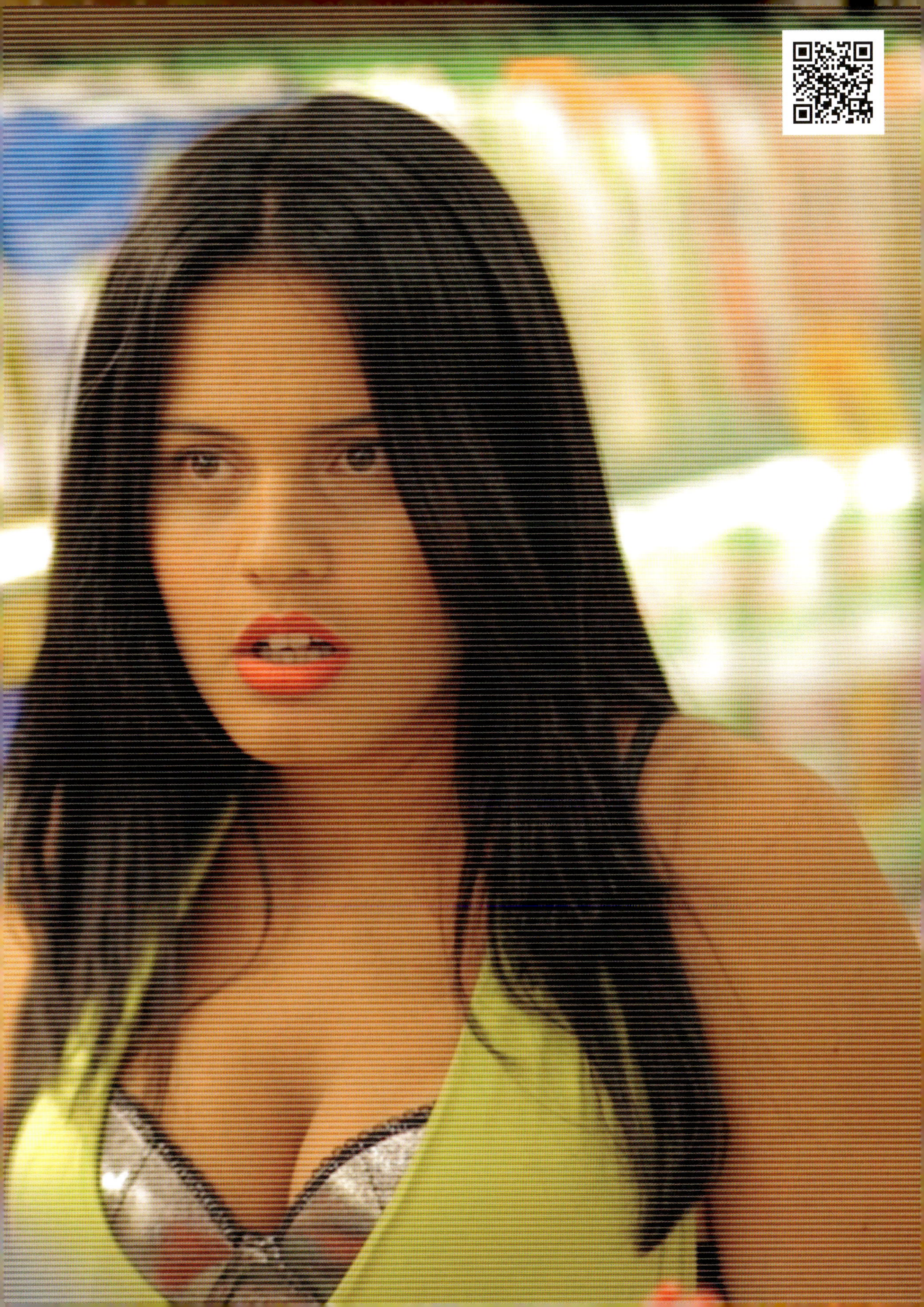

E U NUNCA ACHEI meu nome na latinha — e olha que eu me chamo Fábio! Isso me fez pensar: se eu não encontro o meu nome, o que dirá a Brigite. Foi o ponto de partida para brincar com nomes esquisitos, difíceis, feios... enfim, nomes. Curioso que, ao escolher como chamaria os personagens, minha primeira opção foi Kélen e Uélerson. Acho interessante imaginar como as pessoas reagem a seus próprios nomes. Se elas gostam, odeiam, consideram diferentes...

O tom do personagem quem me deu foi o Ian SBF. Eu estava um pouco expansivo demais e ele pediu pra eu segurar. Ficou preciso: um cara calmo que tem noção das coisas. As pessoas riem daquilo que elas conhecem, sobre o que têm alguma referência. Os nomes na latinha viraram uma febre, todo mundo queria se achar, comprar e guardar em casa como um troféu. Foi uma campanha simples e ótima da Coca. Principalmente pra sacanear! — F.P.

(Supermercado. Na prateleira, várias Coca Zero. Mulher olha uma a uma as latinhas procurando seu nome. Um atendente se aproxima.)

ATENDENTE — Opa! Tudo bem? Quer alguma ajuda? Tá procurando alguma coisa?
MULHER — Tô procurando meu nome na latinha...
ATENDENTE — Ah, legal! Qual é seu nome?
MULHER — É Kélen!
ATENDENTE — É... Kélen, não. Kélen é ruim, nome merda não tem.
MULHER — Como assim?
ATENDENTE — Nome de puta a Coca não faz. Nunca vi Sheila, Brigite...
MULHER — Gente, você tá louco? Você tá maluco?
ATENDENTE — Ah, tá. Kélen é legal? Kélen agora é um puta nome. É um nome bíblico, a mãe de Cristo... *(faz aspas com os dedos no ar)* Kélen. Kélen é ruim. Meu nome é Uélerson e não é por isso que tô aqui procurando meu nome na latinha, porque Uélerson é um nome bosta e eu tenho consciência disso...

MULHER — Tá ok, Uélerson, mas eu já achei Kelly. Então, se tem Kelly, de repente tem meu nome…

ATENDENTE — Sim, mas Kelly é um nome. Kélen é a derivação merda desse nome. Por duas letras seu pai te amaldiçoou pra sempre…

MULHER — Tá bom, obrigada! Mas eu vou continuar procurando, porque eu sei que vou achar!

ATENDENTE — Você não vai *(enfatiza)* achar. Se quiser achar, procura na promoção aqui embaixo, que é a promoção do Dolly. É bem semelhante, só que com nome merda. *(retira embalagens de Dolly da prateleira)* Tem Sâmila, Tábata, muito bacana. Tem nome errado também, Cráudio. Tem um que gosto muito, que é Grória. Essa levei pra minha mãe. Se não achar no Dolly, acho que a promoção da Sukita é a tua onda!

(Entrega as garrafinhas de Dolly para Kélen e sai de cena.) 🏃

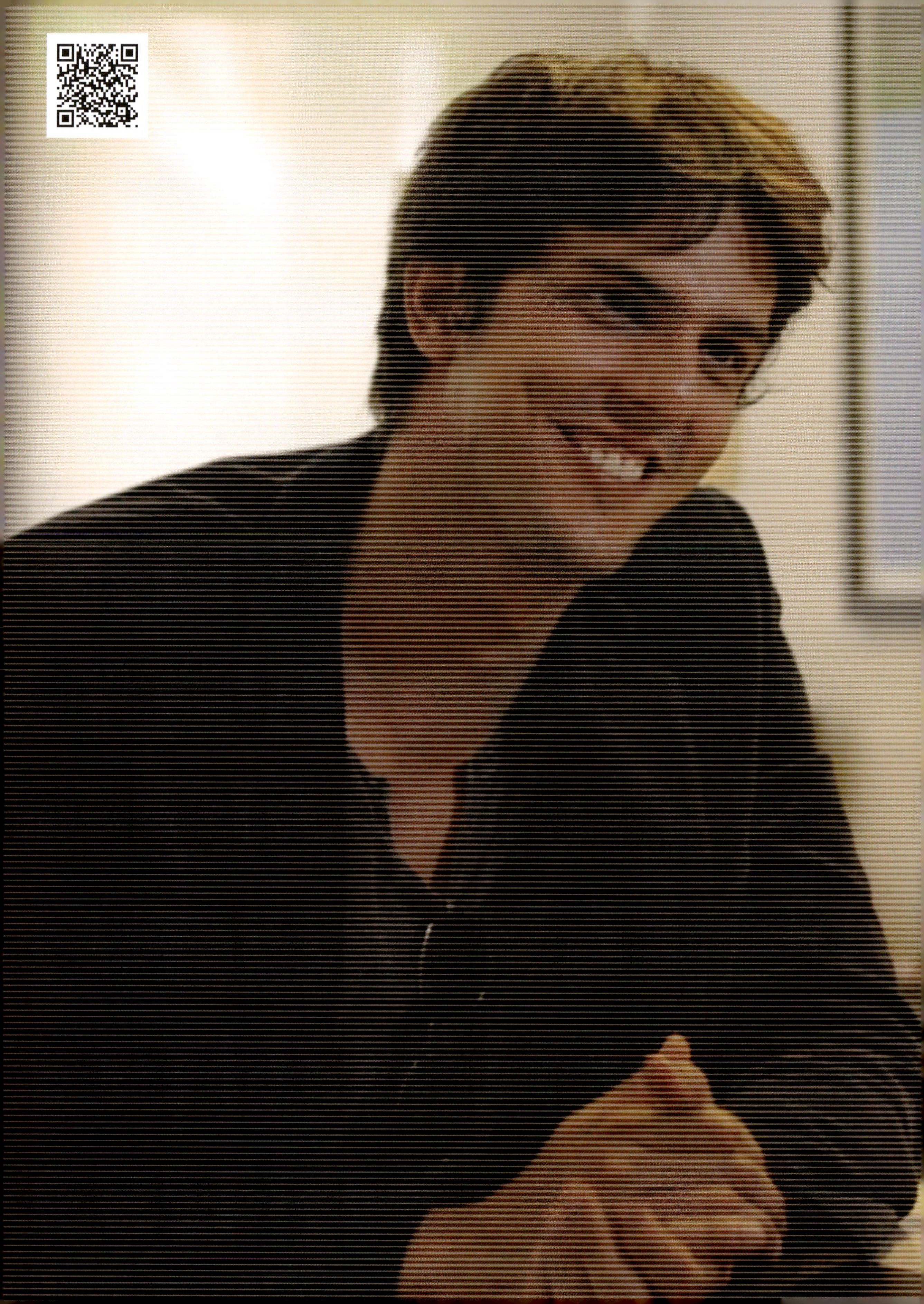

ENTREVISTA

roteiro ▶ **Gregorio Duvivier**

O VÍDEO DA ENTREVISTA partiu de um papo entre os sócios do Porta sobre a dificuldade de falar com jornalistas sem ser mal interpretado. Alguns repórteres insistem em tirar o pior do entrevistado. Não, não são todos. Eu não disse que eram "todos", eu disse "alguns". Não, eu não vou citar nomes. É melhor não dar nome aos bois… Não, eu não estou chamando jornalista de gado. Você já ouviu falar em metáfora? Não, eu não estou te chamando de burro. Foi uma pergunta. Deixa pra lá…
— G.D.

(Repórter e ator entrevistado estão sentados frente a frente na casa do ator. O repórter é simpático e afetivo, apesar do teor das perguntas.)

REPÓRTER — Joca, muito obrigado, viu? Por conceder essa entrevista. A gente te adora na redação…

ATOR — Obrigado.

REPÓRTER — …a pauta tava batalhadíssima.

ATOR — Quer um cafezinho, alguma coisa?

REPÓRTER — Não, obrigado. Pra mim, tá bom assim.

ATOR — Vai gravar num gravador?

REPÓRTER — Não. Eu prefiro anotar. Aí eu já posso ir usando as minhas palavras, sabe? Tô mais acostumado…

ATOR *(rindo, simpático)* — Tá certo… tá certo…

REPÓRTER — Vamo lá, Joca. Como é que você tá rebatendo as críticas à sua atuação?

ATOR *(confuso)* — Críticas? Exatamente de que críticas você tá falando?

REPÓRTER — Não tem críticas?

ATOR — Não… deve ter críticas. Não é disso que estou falando…

REPÓRTER — Por quê? Você tá acima da crítica?

ATOR — Não, deve ter havido críticas ao meu trabalho…

REPÓRTER — Por que é que deve ter havido críticas? Seu trabalho é digno de críticas?

ATOR *(confuso, hesitante)* — Não…

REPÓRTER — Tá ruim?
ATOR — Não, não estou dizendo que o trabalho é ruim! Mas isso cabe aos críticos falarem…
REPÓRTER — Então tem críticas ao seu trabalho?
ATOR — Tem crítico pra tudo, né?
REPÓRTER — Tem críticas a tudo?
ATOR — Tem…
REPÓRTER — Tem críticas ao *Zorra total*?
ATOR — Deve ter…
REPÓRTER — Quais são as críticas que você tem ao *Zorra total*?
ATOR — No caso, eu nem assisto ao *Zorra total*.
REPÓRTER — Porque é humor antigo?
ATOR — Não tô falando isso…
REPÓRTER — É humor estereotipado… homofóbico… racista?
ATOR — Não sei, eu não paro pra assistir. Tô agora há quatorze meses com a minha peça em São Paulo, *Nanquim*…
REPÓRTER — O que que é *Nanquim*?
ATOR — Minha peça…
REPÓRTER — Ah! Vocês mandaram o release.
ATOR — Isso! Acabou de sair de São Paulo…
REPÓRTER — Por que você está se esquivando das críticas?
ATOR — Olha só… eu tenho a política de não falar sobre crítica.
REPÓRTER — Falando de política. Qual é a sua posição política hoje? Vamos falar disso porque acho que isso é bom.
ATOR — Eu acho difícil falar de posição política hoje, né? Não consigo ver uma separação muito clara dos partidos. Me traz um cansaço. Tô cansado…
REPÓRTER *(interrompendo)* — Tá cansado dessa roubalheira toda do PT? *(começa a anotar e ditar sua anotação)* Cansado da roubalheira do PT…
ATOR *(vê o repórter escrevendo)* — Tira a aspa aqui, né?

REPÓRTER — Por quê? Você tá me censurando?
ATOR — Não! Porque eu não falei isso! Não acho que a roubalheira seja só do PT...
REPÓRTER — Mas o fato de a roubalheira não ser exclusiva do PT torna legítima a roubalheira do PT? Qual é a sua ligação com a roubalheira do PT?

ATOR — Eu?! Eu não tenho ligação nenhuma com nenhum partido...
REPÓRTER — Você tem o que então? É aflição, nojo...? Você parece ter medo de afirmar qualquer coisa em relação ao PT. É isso?
ATOR — Eu não tenho medo do PT! Vamos deixar esse assunto de política porque não tem nada a ver. Vamos falar da minha peça, por exemplo. Eu faço quatorze personagens...

REPÓRTER — Fala um pouco desse trabalho...
ATOR — Trabalho fortíssimo de corpo que fiz. Caiu um advogado no meu colo em que eu mergulhei, fiquei muito feliz...
REPÓRTER — E como é esse advogado?
ATOR — Oi?
REPÓRTER — É gay?
ATOR — Quem?
REPÓRTER — O personagem...
ATOR — Não é do que trata a peça...
REPÓRTER — E drogas? Você é a favor da legalização da maconha?
ATOR (*hesitando*) — É... eu prefiro... não...
REPÓRTER — Você é contra?
ATOR — Não...
REPÓRTER — Quais são os malefícios da maconha?
ATOR — Prefiro não citar...
REPÓRTER — Porque você é contra?
ATOR — Não...
REPÓRTER — Não? Então, você é a favor? Qual é a aspa que posso dar sobre maconha? "Sou contra"?
ATOR — Prefiro não falar sobre isso.
REPÓRTER — O PT é um partido...
ATOR — Vamos falar do meu trabalho? Eu queria falar de *Nanquim*...
REPÓRTER — É que tudo isso aí já tá no release, né? Tem alguma novidade? Vamo botar essa manchete, vai... Coisas que dizem de homossexualidade sobre você...
ATOR — Eu sou casado.
REPÓRTER — Gays não podem se casar? Gays são como cabras?
ATOR — Claro que eles podem se casar!
REPÓRTER — Eles devem ter direito ao voto?
ATOR — Será que a gente pode falar do meu trabalho?
REPÓRTER — Você quer falar de trabalho? Como é que você rebate as críticas ao seu trabalho?

(*Ator incrédulo olha para o repórter.*) 🏃

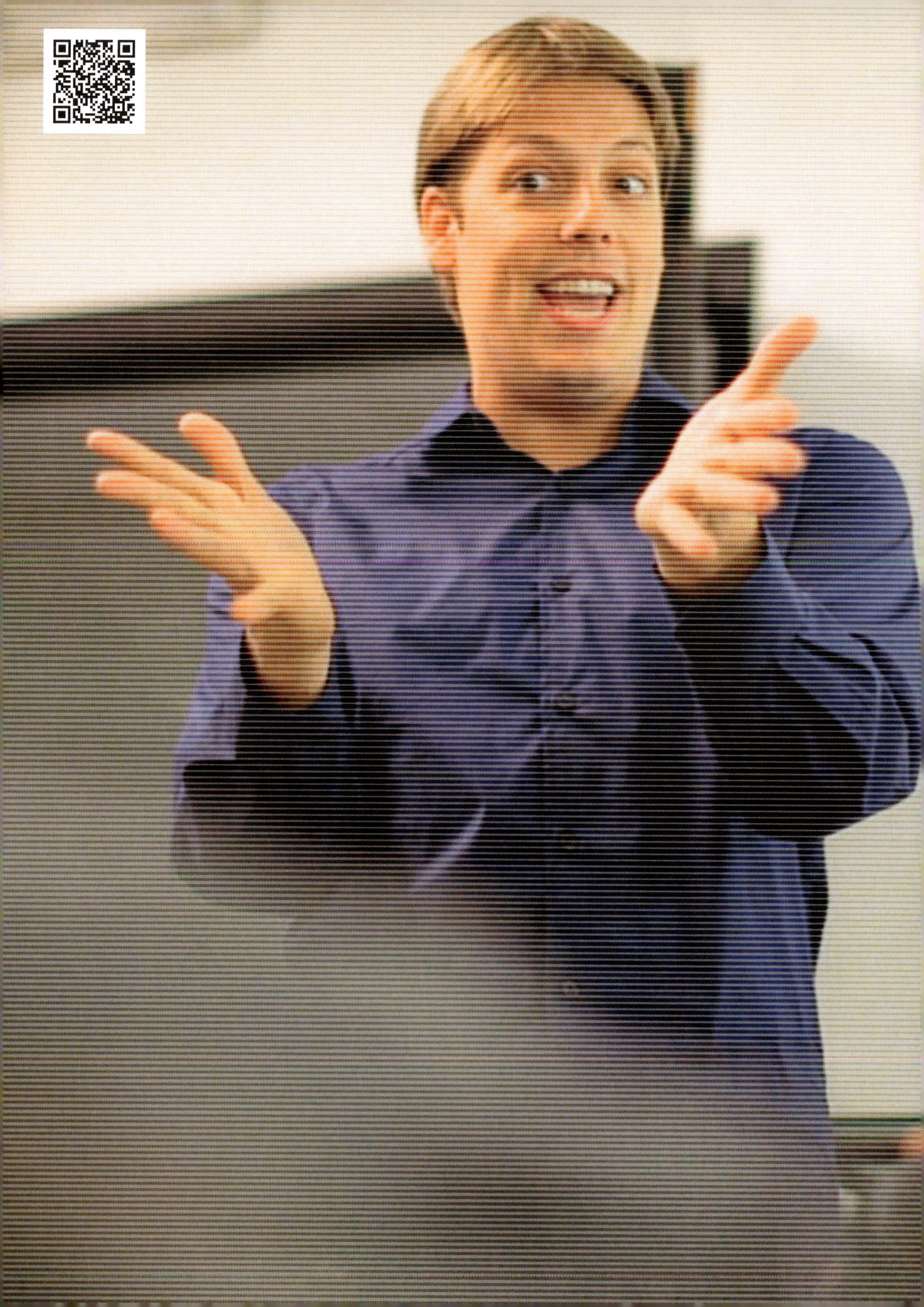

VILLAGE PEOPLE

roteiro ▶ Gabriel Esteves

Um dos primeiros roteiros que escrevi, antes até do Porta existir, era uma espécie de *mockmentary* (documentário falso) de um fictício integrante perdido do Village People. Nos dias atuais, o senhor, devoto de São Sebastião, contava histórias dos bastidores da banda. Dizia ter sido um dos fundadores, pois adorava dançar fantasiado. No fim do documentário, ele descobria que a banda era gay e tinha um infarto.

Acabei engavetando o texto por achar que não combinava com o Porta. Tempos depois, reli e vi que podia transformar num esquete. Minha primeira ideia foi um novo integrante, desavisado, chegar ao camarim e a banda tentar dizer, com jeitinho, que eles eram gays.

Mostrei o roteiro inacabado pro João Vicente de Castro, conversamos e concluímos que seria mais engraçado se o sujeito fingisse ser bicha só pra estar na banda e os outros descobrissem a farsa.

Escrevi uma primeira versão com o João e depois o Fábio ainda acrescentou várias piadas ótimas. O que acabou não entrando na edição final — e que eu adorava — era uma cena do Fábio dizendo "É claro que eu sou gayzão! Aqui ó!", enquanto tocava rápido no piru de cada um dos integrantes. — G.E.

(*Camarim do Village People. Mike, Paul, Jeff e David estão fantasiados de policial, índio, motociclista e cowboy. A expressão em seus rostos é séria. Alberto entra todo animado, vestido normalmente.*)

ALBERTO — E aí?! Como é que tamo? Vamo arrebentar hoje! Nosso primeiro show juntos! Nós juntos no palco, hein!

(*Os quatro continuam sérios.*)

ALBERTO — Que cara é essa, gente?
PAUL — Alberto, temos que conversar.
ALBERTO — O que é que houve? Aconteceu alguma coisa?

MIKE — Alberto, a gente conversou muito antes de você chegar e a gente chegou à conclusão de que você não tá dando o máximo que pode dar.

ALBERTO — Como assim? Eu tô fazendo tudo por esta banda! O que eu não tô dando?

MIKE — A bunda. Você não tá dando ela.

ALBERTO — Quê?

PAUL — Alberto, você é macho.

ALBERTO — Eu sou macho? Macho aonde? Eu sou gay! Eu sou gayzão! Sou supergay! Vocês tão malucos. Hoje mesmo, eu fiz várias coisas gays vindo pra cá!

PAUL — O que você fez de gay vindo pra cá?

ALBERTO — Eu comprei um poodle.

MIKE — Como é que ele chama?

ALBERTO (*pausa*) — Monstro. Mas é porque ele parece um monstro, é por isso… Tá, não é isso. Não queria falar porque isso é uma intimidade minha, eu atrasei porque eu tava chupando um pênis. É isso mesmo, falei! Um grandessíssimo de um pênis!

MIKE — Um pênis, Alberto?
ALBERTO — Um pinto, um pênis. Se você não sabe o que é um pênis, eu acho que o gay aqui sou eu, não você! Entendeu?
MIKE — É assim que você chama rola? Pênis?!
ALBERTO — Ué… pênis… pinto. Eu sou gay! Olha eu rebolando. (*dança desengonçado*) Gay!

MIKE — Alberto, sua fantasia no show é um terno. (*mostra terno pendurado*)
ALBERTO — Sim, mas é um terno bem-cortado, um terno bacana, bonito, com caimento legal. Ué, eu sou um empresário gay bem-sucedido que vai adotar um filho cambojano. Inclusive é um figurino político! Um figurino Jean Wyllis. E, você, tá falando o quê? Nunca nem vi um índio gay. Você é mais hétero do que eu.
MIKE — É, mas eu tenho depilação definitiva na virilha.

PAUL — Alberto, você não engana mais ninguém. Chega de teatrinho! Você é buceteiro!!!

ALBERTO — Que buceteiro o quê?! Da onde você tirou isso? Onde você tá vendo buceta na minha cara?! Dá até nojo de falar isso. (*pouco convincente*) Tenho nojo disso, de mulher gostosa, safada, mulher tetuda, mulher boa! Eu tenho no-jo!

MIKE — Alberto, olha pra mim. Você não percebeu nada de diferente em mim hoje?

ALBERTO (*procurando alguma coisa em Mike*) — Notei! Notei que você… deixou a barba por fazer…

MIKE — Alberto, o meu pau tá pra fora desde que você entrou nesta sala. E você não deu nem uma manjadinha. E é um pau lindo.

ALBERTO (*cobrindo Mike com a mão*) — Eu notei, sim. Eu notei desde o início, mas eu não queria… porque sempre que eu vejo já me dá vontade de pegar naquele pau…

MIKE — Então pega nele.

ALBERTO — Não vou pegar no teu pau!

MIKE — Pega no meu pau!

ALBERTO — Tá, olha só. Pirando numa ideia muito louca, mas que poderia existir: que eu não seja gay. De repente, eu não sou gay. Há problema nisso? Eu gosto da música, acho o ritmo legal… Vocês estão me expulsando da banda, é isso?

MIKE — Não, de jeito nenhum. A gente quer te dar uma chance. A gente gosta de você. Mui-to.

PAUL — Alberto, é o seguinte: eu, o Mike, o Jeff e o David vamos entrar agora naquele banheiro. Eu vou (*faz sinal de aspas com os dedos*) esquecer esta chave aqui em cima da mesa. Por coincidência, é a chave que abre a porta do banheiro. A escolha de continuar na banda ou não só depende de você. Eu te dou cinco minutos. Buceteiro!

(*Os quatro levantam e entram no banheiro. Alberto alterna olhares entre a chave, a porta do banheiro e a do camarim.*) 🏃

DEZ MANDAMENTOS

roteiro ▶ Ian SBF & Fábio Porchat

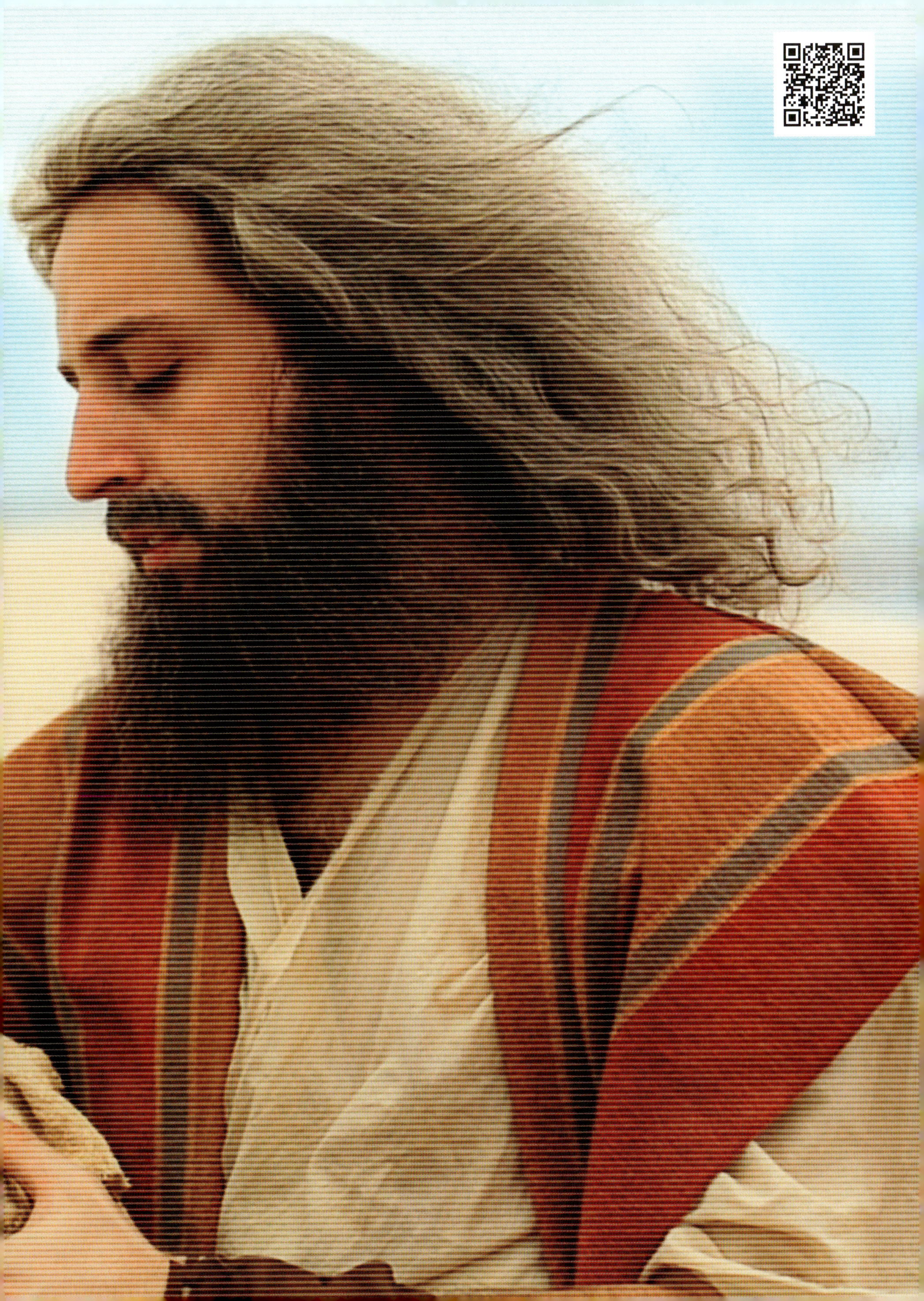

EU ADORO BRINCAR com religião. *A vida de Brian*, do Monty Python, é um dos meus filmes favoritos e uma fonte de inspiração. Quando o Ian SBF me contou sua ideia de fazer um esquete sobre Moisés e me incumbiu de escrever o roteiro, imaginei a cena toda na hora.

A escalação do Gregorio para o papel de Moisés foi perfeita. A partir desse vídeo, ele *é* o Moisés — eternamente. Eu fiz parte do grupo de caras que duvidam da história que o Moisés vem contar. Acho curiosa a ideia de as pessoas aceitarem tudo o que esse pessoal da Bíblia falou. Alguém tinha que desconfiar de alguma coisa. Um cara sobe o morro e volta dizendo que agora as coisas são diferentes e é preciso seguir novas regras. Sei…

Figurino e maquiagem fizeram com que eu me sentisse em um filme de época. A cena foi gravada em Cabo Frio, no meio das dunas, com o sol a pino. Ríamos sem parar. É impossível fazer esquete com Rafael Infante, Luis Lobianco e Gregorio Duvivier. Eu apareço rindo em vários momentos no *making of*. — F.P.

(Deserto. Vemos um grupo de pessoas em trajes bíblicos sentadas na areia, conversando. Ao fundo um homem corre na direção delas. É Moisés trazendo os Dez Mandamentos.)

MOISÉS — Povo hebreu!

(Grupo cumprimenta Moisés.)

OBSERVADOR 1 — E aí, Moisés?
MOISÉS — Eu trago notícias do Senhor Deus! São mandamentos que vocês vão ter que seguir à risca a partir de agora, tá? Senão, vocês vão queimar no inferno… Posso começar?
OBSERVADOR 1 *(interrompendo)* — Peraí, peraí… Deus escreveu isso aí?
MOISÉS — Foi, foi sim.
OBSERVADOR 1 — Na pedra?
MOISÉS — Isso. Era o que Ele tinha lá à mão.

OBSERVADOR 1	— Onde?
MOISÉS	— Em cima do monte...
OBSERVADOR 1 & 2	— Do monte?!
OBSERVADOR 1	— Do monte?! *(desconfiado)* Deus apareceu lá em cima do monte?
MOISÉS	— Ele veio falar comigo!
OBSERVADOR 2	— E você tava no monte?
MOISÉS	— Eu tava...
OBSERVADOR 2	— Nunca te vi no monte e, de repente, você tava no monte falando com Deus?!
MOISÉS	— Eu tava indo falar com Deus!
OBSERVADOR 1	— Tava só você e Deus lá? Mais ninguém?
MOISÉS	— É! A gente marcou lá...
OBSERVADOR 1	— O monte tá sempre cheio, mas só tava você e Deus lá?
MOISÉS	— Era de manhã cedo! Vocês nem tavam acordados essa hora!
OBSERVADOR 2	— Fala, Moisés! O que você tem aí pra falar? O que tem escrito aí, nesse troço?
MOISÉS	— "Não roubarás!"...
OBSERVADOR 2	*(interrompendo)* — Desculpe. Você não foi roubado semana passada?
MOISÉS	— Que que tem?
OBSERVADOR 2	— Não roubaram umas cabras suas?
MOISÉS	— E o que que tem a ver com isso...?
OBSERVADOR 2	— E agora não pode mais roubar?
MOISÉS	— Não...
OBSERVADOR 1	— Por que não? Por que não pode roubar?
MOISÉS	— Porque Deus falou que não pode...
OBSERVADOR 2	— Aaah, *Deeeus* falou...
MOISÉS	— Deus falou que não pode! Antes podia, agora não pode... Posso passar pro próximo?
OBSERVADOR 2	*(dando os ombros)* — Continua aí...
MOISÉS	*(lendo)* — Dois: "Frequentarás a igreja no sábado e nos dias santos."
OBSERVADOR 1	— Ô, Moisés! A igreja que é sua, né?
MOISÉS	— Isso... *(com veemência)* Não! É de Deus!

(O grupo ri.)

OBSERVADOR 2	(*irônico*) — É de Deus... Tem uma só!
OBSERVADOR 1	— É uma só, cara! Aí é você que administra o esquema lá da igreja.
OBSERVADOR 2	— Exatamente!
MOISÉS	— Eu que cuido... Não tem nada a ver.
OBSERVADOR 2	— Que mais que tem escrito aí nessas pedras? Agora fiquei curioso... Agora fiquei interessado.
MOISÉS	— Três: "Não matarás."
OBSERVADOR 3	— Peraí! Teve um primo dele que foi assassinado esta semana!
OBSERVADOR 2	— Exatamente! (*cumprimenta observador 2*)
OBSERVADOR 3	— Isso aí tá tudo...
MOISÉS	(*interrompendo*) — Gente, não era meu primo, tá? Era um cunhado da minha mulher que eu mal conheço direito...
OBSERVADOR 2	— Tá bom! Mas deixa eu entender uma coisa aqui. Não pode matar. Mas não pode matar o quê? Bicho, gente?
MOISÉS	— Gente.
OBSERVADOR 2	— Mas está escrito aí "Não matarás gente"?

(*Moisés checa as pedras.*)

OBSERVADOR 3	— Vê se não tem um asterisco aí dizendo que bicho liberou.
OBSERVADOR 2	— É!
MOISÉS	— Ô, Zaqueu, o que ele falou foi: "Não matarás." Agora o que que é? Vamos pensar aqui. Porque cabe à gente, também, o dom da interpretação.
OBSERVADOR 2	— Então bicho pode! Que bom! Porque eu comi agora cedo...
OBSERVADOR 1	(*com a mão levantada*) — Deixa eu perguntar, porque tô com a mão levantada há meia hora já.
MOISÉS	— Sim, senhor.
OBSERVADOR 1	— Assim, eu não sabia de nada disso: de pedra, de monte... sabia nem que Deus aparecia...

E assim, há coisa de uma hora atrás eu matei uma pessoa, mas eu queria saber se vou ser punido por isso. Se eu já me enquadro nesse novo esquema. Eu acho que seria uma sacanagem…

OBSERVADOR 2 — Isso é sacanagem! Não pode ser feito isso! Isso é sacanagem! *(olha para os céus gritando de raiva)* Isso é sacanagem!!!

(Observador 3 acalma observador 2.)

MOISÉS — Terminou? Terminou o *stand-up*? Posso continuar aqui?
OBSERVADOR 1 — Posso te falar uma coisa? Muito numa boa? Assim, é um esquema muito estranho! Daqui a pouco vai ter mandamento pedindo pra gente cozinhar pra você…
OBSERVADOR 3 — Se já não tem!
OBSERVADOR 1 — … lavar seu carro…
OBSERVADOR 2 — Ontem mesmo me pediu um favor!

MOISÉS (*ignora e segue lendo*) — "Não levantarás falso testemunho."
OBSERVADOR 3 — Ah, falou o camarada que (*faz aspas com os dedos no ar*) conversa com Deus.
MOISÉS — Conversei com Deus!
OBSERVADOR 3 — Você jura?
MOISÉS — Eu juro!
OBSERVADOR 1 — Jura por Deus?

MOISÉS (*responde de forma automática*) — Eu juro… (*voltando atrás, nervoso*) Não!!!

(*Todos reagem de forma irônica, rindo.*)

TODOS — Aaaah!
OBSERVADOR 1 — Aí é fácil!
OBSERVADOR 2 (*irônico*) — Então eu não posso jurar por Deus?! Eu juro pelo quê? Eu juro pela areia?! (*enche as mãos de areia e solta*) Eu juro pela areia, juro pela areia!

MOISÉS — Posso terminar? Um dos mandamentos aqui é: "Não falarás o nome de Deus em vão."

OBSERVADOR 2 — Mas, peraí! Você tá falando agora o nome de Deus em vão.

MOISÉS — Eu tava lendo aqui! Tá escrito "Deus" aqui...

OBSERVADOR 3 *(interrompe)* — Olha aí, falou de novo!

OBSERVADOR 2 — Falou de novo! Ele fala sempre Deus! *(cantarolando)* Deus, Deus, Deus, Deus!

OBSERVADOR 3 — Você está sem congruência.

OBSERVADOR 2 — Exatamente!

MOISÉS — Posso continuar?

OBSERVADOR 2 — Agora... O que te impede?

MOISÉS — "Amar a Deus sobre todas as coisas."

OBSERVADOR 2 — Tá! Então quer dizer que você ama mais a Deus do que você ama a sua mulher?

OBSERVADOR 3 — Iiiiiih!

MOISÉS — Amo, Ele é Deus!

OBSERVADOR 2 *(virando-se para a mulher de Moisés)* — Aí, Zípora, tá dizendo que não te ama mais!

(Vemos Zípora abraçada a um cara.)

MOISÉS — Não é isso... *(percebe a cena)* Peraí, ô, Zípora, o que que você está fazendo abraçada com o Gérson?

OBSERVADOR 1 — Agora vai dizer que não pode cobiçar a mulher do próximo?!

MOISÉS *(exasperado)* — Mas tá aqui!

OBSERVADOR 1 — Ô, Moisés! Eu já saquei teu jogo! Aí, camarão que dorme, a onda leva!

OBSERVADOR 2 — Isso aí! Vai dispersar sua palavra lá pelos lados da Galileia! Isso aí é um papo antigo que já vem desde Noé. O cara me veio com um papo de fazer um barco! Eu falei: "Ô, Amyr Klink, se toca, cara!"

(Grupo segue conversando. Moisés parte desolado.)

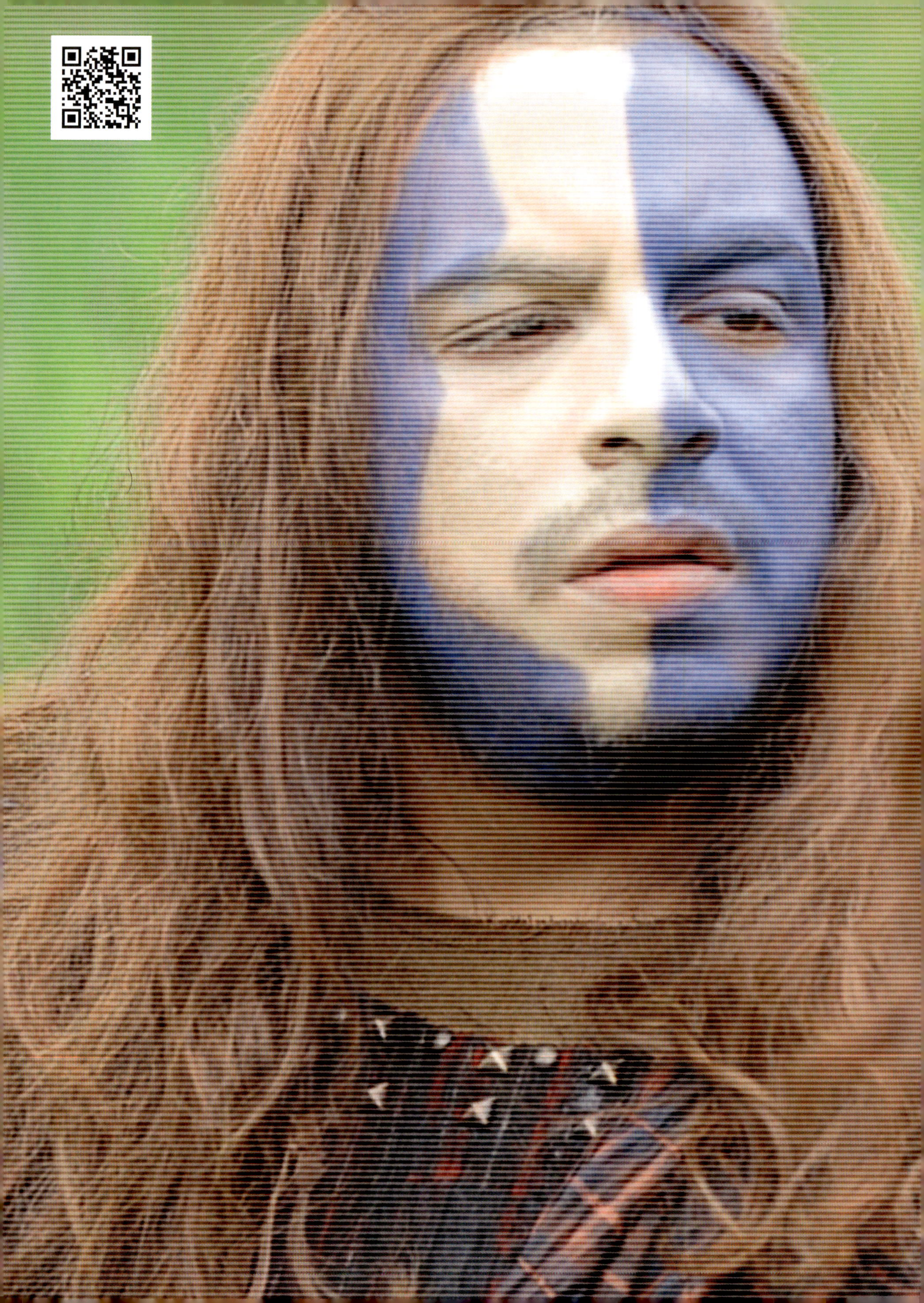

BATALHA

roteiro ▶ Fábio Porchat

> EU TENHO UM TEXTO de *stand-up* que partia do mesmo princípio que usei neste roteiro: dois caras meio encagaçados olhando a galera revoltada do outro lado.
> No *stand-up* eu falava sobre a linha de frente e questionava por que aquelas pessoas não iam pra trás. Eu jamais iria pra guerra, armaria um caso com o rei, sei lá.
> Pro vídeo, achei que poderia ser mais divertido usar outra ideia em que já tinha pensado, sobre o primeiro cara que chega. Será que ele fica meio perdido quanto ao local? Será que se pergunta se o resto do pessoal vem?
> O Luis Lobianco e o Gregorio dão um tom brilhante pro esquete, pois, embora a cena se passe séculos atrás, eles agem como se fosse hoje: muito tranquilos, sem sobressaltos. Os tempos dados pelo diretor fizeram o vídeo crescer em expectativa, pois o texto tem uma forte carga de constrangimento e arrependimento. — F.P.

(Descampado. William, de roupa típica escocesa e rosto pintado de azul e branco, está sozinho contemplando o horizonte. John aparece.)

JOHN — Opa!
WILLIAM *(aliviado)* — Opa, tudo bem?

(Eles se cumprimentam com um aperto de mão.)

JOHN — Tudo certo?
WILLIAM — Beleza!
JOHN — Sou o John… William?
WILLIAM — Isso! William…
JOHN — Beleza, irmão?
WILLIAM — Seja bem-vindo!
JOHN — Foi o Bob que falou que aqui ia rolar a luta.
WILLIAM — Foi, isso! Vai rolar, vai rolar.
JOHN — E o Bob não chegou ainda não?
WILLIAM — Tá vindo aí…
JOHN *(olhando para o outro lado)* — Tá… E o resto do pessoal? Tá escondido?

WILLIAM — Não, não! O pessoal também tá vindo... é que acabou que deu uma atrasada e tal... choveu, lama aí no caminho, não sei mais o que...

JOHN *(apreensivo)* — Mas é aqui mesmo? Será que...

WILLIAM *(seguro)* — É aqui... é aqui...

JOHN — Não tem a chance de a gente estar no lugar errado não, né?

WILLIAM — Não, não, não! É aqui mesmo.

JOHN — Então não chegou ninguém ainda?

WILLIAM — Ainda não, só nós... porque, assim, muita gente confirmou em cima da hora, semana passada só... tem o horário de verão que também atrapalha pra cacete... Mas tamos aí!

JOHN — Tá, tá... É que lá do outro lado já, já... Nossa! Tem bastante gente, né?

WILLIAM — É... o pessoal já tá chegando mais lá...

JOHN — Tá mais completo, né...?

WILLIAM *(concorda balançando a cabeça)* — Ahã.

JOHN — Tem o quê? Umas dez mil pessoas...

WILLIAM — Não, não, não! Não tem isso tudo, não! Lá deve ter oito mil... no máximo, oito mil...

JOHN *(apreensivo)* — É...

WILLIAM — Né?

JOHN — Porque aqui tem menos, né? Ó o pessoal agachadinho ali na frente, tá vendo? Escondidinho ali.

WILLIAM — É, mas você tá vendo ali? *(aponta na direção)* Tá vendo aquele cara que tá mais pra cá? Mais à frente daqui, então, atrás dele você acha que é gente, mas não é. É árvore...

JOHN — É que a gente é dois, né?

WILLIAM — É...

(Ambos parecem contemplar o exército inimigo.)

WILLIAM — É, mas isso não é assim, não... também não é...

JOHN — Hã?! Não é assim, o quê? O que que não é assim?

WILLIAM   (*desconversando*) — Aí, você quer comer? Fazer um lanche? Tem fruta, água, sanduíche. Melhor comer agora, porque, depois, no meio, fica muito complicado. Aí você já vai comendo… Se quiser ir ao banheiro também…
JOHN   — Não… precisa não… valeu… comi já…
WILLIAM   — Já conhece aqui, né? Se quiser conhecer, dar uma volta… Você é daqui da Escócia?
JOHN   — Sou, sou daqui… Moro ali, em Avalon…

WILLIAM   —Ah! Sei onde é… Tem uma prima minha que é de Avalon também…

(*Faz-se um breve silêncio, com os dois contemplando o inimigo.*)

JOHN   — E se… e se o pessoal não vier?
WILLIAM   (*convicto*) — Não! Eles vão vir…
JOHN   — Tá… Mas vamos supor que… ninguém mais chegue do nosso lado… Se eles não vierem… o que acontece?

WILLIAM   (*confiante*) — Vai ter luta. Em nome da Coroa...
JOHN   (*bastante apreensivo*) — É... porque aí não é jogo, né?
WILLIAM   — Não... mas é em nome da honra!
JOHN   — É porque pra gente não é melhor... Olha só... e se a gente fica cinco minutinhos mais e, se não chegar ninguém, a gente vai e finge que nem veio. Finge que ficou preso...
WILLIAM   — Olha só... Eu sei que a gente que é pontual é que paga, né? A gente chegou antes, então dá uma angústia ficar esperando, é um saco. Você, de repente, já pode ir se maquiando, dando uma customizada no figurino...
JOHN   (*contemplativo*) — Entendi... É que... sabe o que é? Vai que não tem? Aí eu me pintei à toa, é chato de sair...
WILLIAM   — Não, é guache, sai fácil, com água.
JOHN   — É, mas não fica nem bem isso...
WILLIAM   — O quê?
JOHN   — E... eu acho que eu tenho que ir, na verdade... Eu tinha um negócio meio-dia e quinze ali em Camelot... resolver umas coisas por aquela área ali...
WILLIAM   — Mas você vai e vai voltar pra luta?
JOHN   — Pois é, vamo ver, né? Que, depois, ainda tenho que passar em Avalon...
WILLIAM   — Hoje?
JOHN   — É, hoje... É que deixei meus ferros todos lá...
WILLIAM   — Não, mas aqui não vai demorar muito, não! Vai ter a batalha e, daqui a pouco, você já tá liberado...
JOHN   (*se afastando lentamente*) — Eu só vim mesmo dar uma passada... um "oi" geral... Achei que o Bob ia estar por aqui... mas, pô, irmão, boa sorte aí, viu?

(*John vai embora.*) 🏃

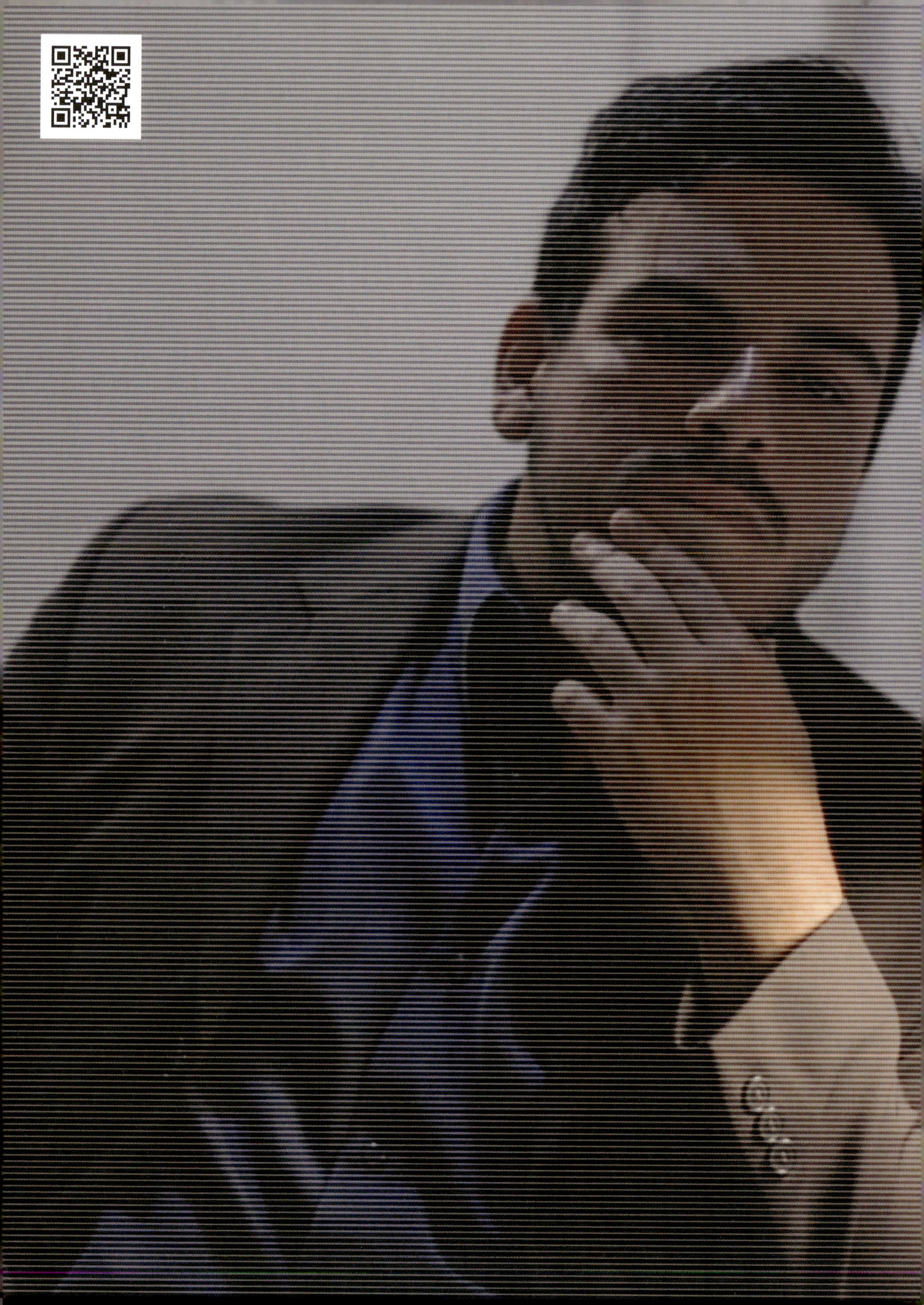

VOYEUR

roteiro ▶ Gabriel Esteves

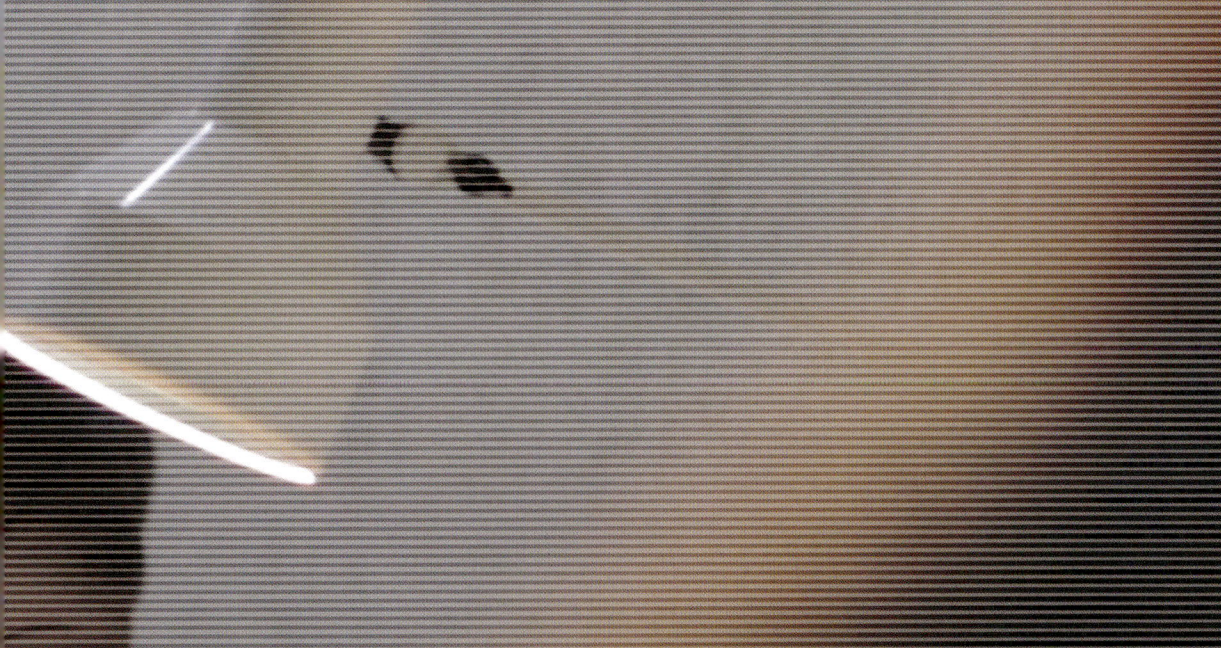

U M DIA, TROCANDO DE CANAL meio distraído, parei na melhor cena do filme *True Lies*: o Schwarzenegger está sentado meio na sombra, sendo voyeur da própria mulher. Era um tema ótimo pra se explorar e que eu não tinha visto ninguém sacanear ainda.

Pensei que a piada podia ser tirar o caráter sexual do voyeurismo, com o marido usando o michê para desabafar com a esposa, falar o que estava engasgado e, claro, sentindo tesão por isso. Afinal, ele estava pagando. Na reunião de textos, o Fábio sugeriu incluir a piada do gato no roteiro e aprovamos.

Não posso deixar de dar crédito ao Luis Lobianco e ao João Vicente de Castro, que filmaram tudo de improviso. João é o verdadeiro michê do século 21. Ele satisfaz a tua mulher, pede pizza, liga pra Net... Secretário melhor é difícil encontrar por aí.
— G.E.

(Quarto do casal. Marcos está sentado numa poltrona em frente à cama, meio na sombra. Isabel está deitada, de camisola. Sidney tira a camisa e se aproxima dela sensualmente.)

    MARCOS — Vai, Sidney. Isso! Isso, chega perto, vai. Pega no cabelo dela.

(Sidney faz carinho no cabelo de Isabel.)

    MARCOS — Isso... Chega mais perto... Devagar... Assim, gostoso...

(Sidney abraça Isabel.)

    MARCOS — ... fala que ela tá gorda.
    SIDNEY — O quê?
    MARCOS — Chama ela de gorda. Vai. Fala. Gorda.
    SIDNEY — Gorda!

(Isabel dá um tapa na cara de Sidney.)

ISABEL — Babaca!
MARCOS — Isso...
SIDNEY — Ela me bateu.
MARCOS — Diz que, se ela continuar engordando, eu vou cortar o cartão de crédito.
SIDNEY — Isso é melhor você falar...
MARCOS — Eu gosto só de observar. Faz o que eu tô mandando.

SIDNEY — Eu tava pensando aqui... Talvez fosse o caso da gente cortar um pouco o carboidrato, talvez dar uma diminuída na comida, pro maridão não cortar o cartão que você tanto gosta.
MARCOS — Dá uma palmadinha nessa safada, dá.

(Sidney dá um tapinha na bunda de Isabel.)

MARCOS — Mais forte, mais forte.

(*Sidney dá um tapa mais forte.*)

MARCOS — Agora, mão fechada na barriga!
SIDNEY — Mas mão fechada na barriga é agressão, amigo! Depois é o michê que é indiciado, o michê que vai pra capa do *Extra*! Eu não vou dar um soco…
MARCOS — Ok, ok, ok. Sidney, fala pra ela…

SIDNEY — Fala…
MARCOS — Que eu quero botar a mãe dela num asilo. Mas pega leve que, quando toca nesse assunto, ela fica uma arara.
SIDNEY — Com toda razão, né? É a mãe dela…
MARCOS (*sussurrando*) — Asilo… asilo… vai, vai… asilo.
SIDNEY — É… Isabel, né?
ISABEL — Ahã.
SIDNEY — A gente tava pensando…
MARCOS — Sonda… sonda…

SIDNEY	— Quem sabe não é a hora, né? Da gente ver se a sua mãe vai pra um lugar mais calmo, tranquilo?
MARCOS	— Fraldão…
SIDNEY	— Um lugar meio…
MARCOS	— Banho de sol… banho de sol…
SIDNEY	— … que role um carteado…
MARCOS	— Biribinha… biribinha…
SIDNEY	— … que tenha flor… De repente, da gente organizar esse final de vida dela, hein?
ISABEL	— Peraí… Você quer largar minha mãe num asilo, seu filho da puta???
SIDNEY	— Não, também não é assim. (*vira para Marcos*) Lá é ótimo, né, Marcos?
MARCOS	— É uma prisão que fede a peixe.
SIDNEY	(*fala irritado com Marcos*) — Aí você não tá me ajudando… Assim eu não posso te ajudar. (*virando para Isabel*) Ó, não é assim também "uma prisão que fede a peixe", não ouve o que ele fala. Mas é um asilo, não cheira a amaciante, não cheira a Downy. Mas é um lugar aceitável…
MARCOS	— Sidney, fala pra ela que o gato dela não fugiu. Eu que dei pra Suipa. Pulga… pulga…
SIDNEY	— Você não tinha um gato?
ISABEL	— Ahã.
SIDNEY	— Fugiu, não. Seu marido deu pra Suipa.
MARCOS	— Suipa…
SIDNEY	— Ele foi entregue pra Suipa.
MARCOS	— Porra! Delícia, vai!
ISABEL	— Pra Suipa?!
MARCOS	— Suipa…

(*Isabel começa a chorar.*)

MARCOS	— Hum, maravilha. Muito bom, Sidney. Agora pode deixar que daqui eu continuo…

(*Sidney levanta e vai embora desconcertado.*) 🏃

CONFESSIONÁRIO

roteiro ▶ **Antonio Tabet**

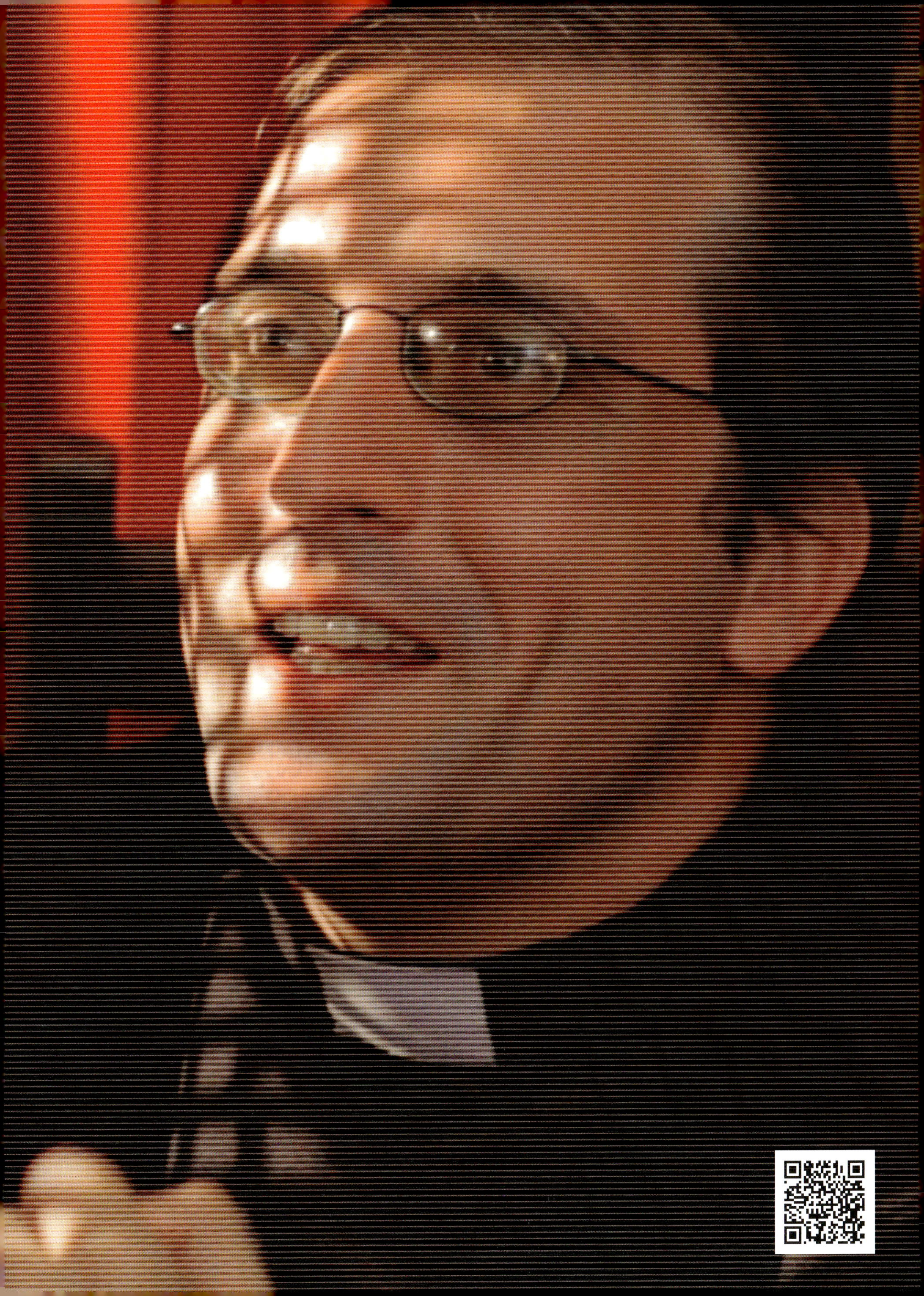

ESSE FOI UM DOS NOSSOS vídeos explosivos. Assunto delicado, chamativo e... religião! Foi um dos roteiros que mais demorou a ser executado justamente porque pisava em campo minado. E também porque precisávamos de um confessionário, o que não é tão fácil de achar por aí. Quando conseguimos a locação para "Casamento", os padres pedófilos pegaram carona.

O ponto de partida deste texto sempre foi o final surpreendente, não pelo fato de haver padres pedófilos — isso os noticiários já evidenciam. A questão era a pegadinha final, a demonstração de ciúmes, a reação de surpresa passando por cima de algo muito pior e, no caso, corriqueiro.   — A.T.

(Interior de uma igreja. Padre está no confessionário e percebe que um fiel entrou. Não vemos o fiel, só o padre.)

HOMEM — Padre...
PADRE — É sua primeira?
HOMEM — É, primeira vez. Tô um pouco nervoso... nunca fiz isso...
PADRE — Fica à vontade, viu? Toma seu tempo. Não tenha pressa. Pode te ajudar que as pessoas em geral começam pelos pecados mais brandos, pra depois falar daquilo que mais as aflige... Não sei, pode ser uma dica...
HOMEM — Tá... eu... eu bebo. Eu bebo muito, muito. Certo.
PADRE — Bom, é bem normal isso... Fica tranquilo que já ouvi aqui bobagens muito maiores...
HOMEM — É que eu não comecei as bobagens maiores ainda, padre...
PADRE — Tá...
HOMEM — Bom... Ontem eu saí pra beber, né? E bebi... Aí comecei a ficar alegre, começou a bater aquele negócio da bebida que te deixa assim, aí vi lá um garoto...
PADRE — Um garoto...?

HOMEM (*continua*) — É, um garoto... tipo um estagiário, sabe? Só que mais novinho... Aí eu chamei ele pra conversar, comecei a bater papo, porque eu sou bom de papo, né, padre? Aí papo vai, papo vem, convidei ele pra ir lá em casa... De repente, quando vi, dei um goró pro garoto e pou!
PADRE — Pou?!

HOMEM — Pou! No caso, é vuco-vuco, chapou-chapou, é (*faz barulho de língua chupando*), é vai e vem, é aaah, eeei! (*passa a gritar e bater na separação do confessionário*)
PADRE (*constrangido*) — Tá bom, já entendi... Não bate aí, não, eu já entendi... Então, vocês foram às vias de fato?
HOMEM — Não. O quê, amigo? Foi de fato, foi de tudo... Sapequei o gordinho que ele viu estrela, rapá! Porque, assim, vou te dizer que o lourinho... ele não veio nessa de brincadeira, não. Esse lourinho sabia o que tava fazendo...

PADRE — Lourinho? E depois?
HOMEM — Depois ele me pediu para deixar ele na casa dele, ali naquele prédio alto do Largo do Machado, sabe? Um com varanda, bonito...
PADRE — O 186?
HOMEM — Isso...
PADRE (*cismado*) — Esse menino, gordinho e lourinho, ele usava aparelho?

HOMEM — Isso, lourinho que usava aparelho...
PADRE — Fixo?
HOMEM — Isso, fixo. Em cima e embaixo...
PADRE — Desculpa a curiosidade... Vocês jogaram Fifa no Playstation?
HOMEM — Foi Fifa...
PADRE — E que time ele escolheu?
HOMEM — O Manchester!
PADRE — Manchester City ou Manchester United?
HOMEM (*sussurrando de forma tentadora*) — United!

(*O homem se levanta e abre de repente a porta ao lado do confessionário onde o padre está. O padre parece confuso e irritado, enquanto o homem dá gargalhadas.*)

PADRE (*surpreso*) — Padre Olavo!
HOMEM — Te peguei!
PADRE (*aliviado*) — Padre Olavo?! Filho da puta! (*ele finge que vai dar um soco em Olavo*)
HOMEM — Você, hein! Ficou todo tenso quando falei do teu gordinho, né?
PADRE (*colocando a mão na cabeça*) — Caraca! Tava passando mal aqui! Já ia partir pra dentro!

HOMEM (*afetado*) — Ai, como ele é ciumentinho! Hahahahahaha! Pode deixar que ninguém mexe com teu gordinho, não, viu? O lourinho é só teu…
PADRE — É só meu! Para! Ninguém mexe com meu gordinho, não, hein! (*rindo*) Vai ter troco! Palhaço!

(*Olavo sai apressado, rindo. Ainda sentado no confessionário, o padre pensa um pouco e volta a fechar a cara.*)

PADRE (*gritando*) — Padre Olavo! Como é que você sabia que ele escolhe o Manchester United?!

183

CASAMENTO

roteiro ▶ **Fábio Porchat, Ian SBF, Gabriel Esteves & João Vicente de Castro**

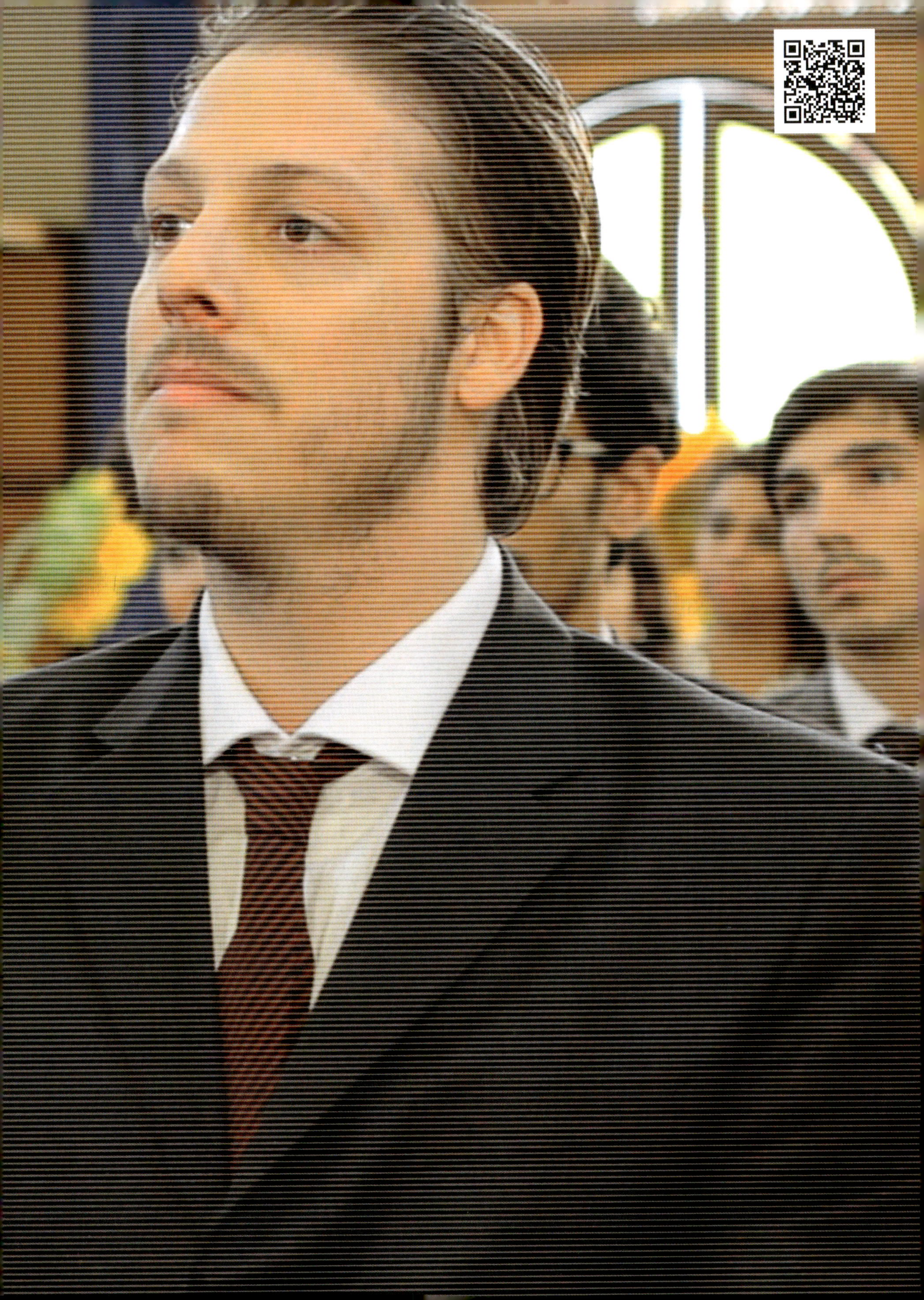

A IDEIA CENTRAL DESSE VÍDEO já chegou pronta pra mim. O Ian me disse que ele e os meninos — o Gabriel e o João — tinham pensado num esquete e me passou toda a estrutura e a maior parte dos diálogos. Quando me pediu para escrever o roteiro e falou que gostaria que eu interpretasse o personagem central, já fiz o texto imaginando a minha embocadura e o meu jeito de atuar.

No dia dessa gravação eu estava resfriado, suando muito e exausto porque mais cedo tínhamos filmado "Confessionário". Ainda bem que eu ficava o tempo todo sentado.

Mesmo assim, foi um dia muito especial porque o Gabriel pediu a namorada em casamento. Todos nós sabíamos o que ia acontecer, menos ela. A ideia era que, quando tivéssemos terminado o vídeo, o Ian ia fingir que precisava fazer mais um take e filmaria o pedido.

— F.P.

(Interior de uma igreja. Padre está casando os noivos sob os olhares atentos dos convidados.)

PADRE — Stela, você aceita Carlos como seu legítimo esposo? Para amá-lo e respeitá-lo, na alegria e na tristeza, na saúde e na doença, na riqueza e na pobreza, até que a morte os separe?
STELA — Aceito.
PADRE — Eu vos declaro...
CLÉBER *(se levanta, interrompendo a cerimônia)* — Eeeeei! Peraí! Desculpa. Como vai? Tudo bem? Desculpa interromper, sei que não é legal... De repente, é coisa minha, mas não faltou uma parte, hein? Não faltou aquela parte: "Se alguém souber de alguma coisa..." Não tem isso, gente? Porque, de repente, surge alguma coisa que alguém saiba a respeito de ontem à noite... Não? Em Búzios, não? Que tava com o noivo ontem à noite, ninguém sabe nada... Não digo *eu*, não! De repente o Gustavo *(vira pro homem ao seu lado)*

quer falar alguma coisa, se pronunciar? *(percebe que Gustavo não tem nada pra falar)* Tá ótimo... porque, de repente, a pessoa tem necessidade... *(olha em volta)* Não? Ok... Búzios, não? Os padrinhos... não? Ok, hein... que depois foi pro quarto já meio... *(faz sinal de quem bebeu)* Então, tá ótimo. Não quer falar... Rolou, de repente, um gato mia no escuro... ligou pro pessoal: "Ah! Vem pro quarto!" Então, tá ótimo! Se não quer falar agora... porque é bom falar agora! *(olha e aponta para trás)* Olha lá! Levantou a mão ali, não? *(vira pra frente)* Não... ele só coçou, achei que tivesse levantado a mão. A pessoa fica com vergonha e daqui a dez anos ela pensa: "Puxa, devia ter levantado a mão! Devia ter falado aquele detalhe...", não? Do ano-novo, hein? Fala... *(se exasperando)* Não? Cláudia?! Quer falar nada, não, Sandra? Hein, Michele? Ok, sem problemas... Dou-lhe uma, alguém? Dou-lhe duas, quem? Dou-lhe três... *(de forma corrida)* eu e o noivo temos um caso há mais de dois anos e ele me jurou amor eterno e só está casando para manter as aparências porque ele é gaaaay... Ninguém... Ok! Muito bem. Vamos seguir o casamento, eu fiz a minha parte. Queria deixar claro que eu quero que seja tudo muito bom, muito feliz, tudo ok!

(Claramente se contendo, olha pra trás como se esperasse que alguém intercedesse.) 🏃

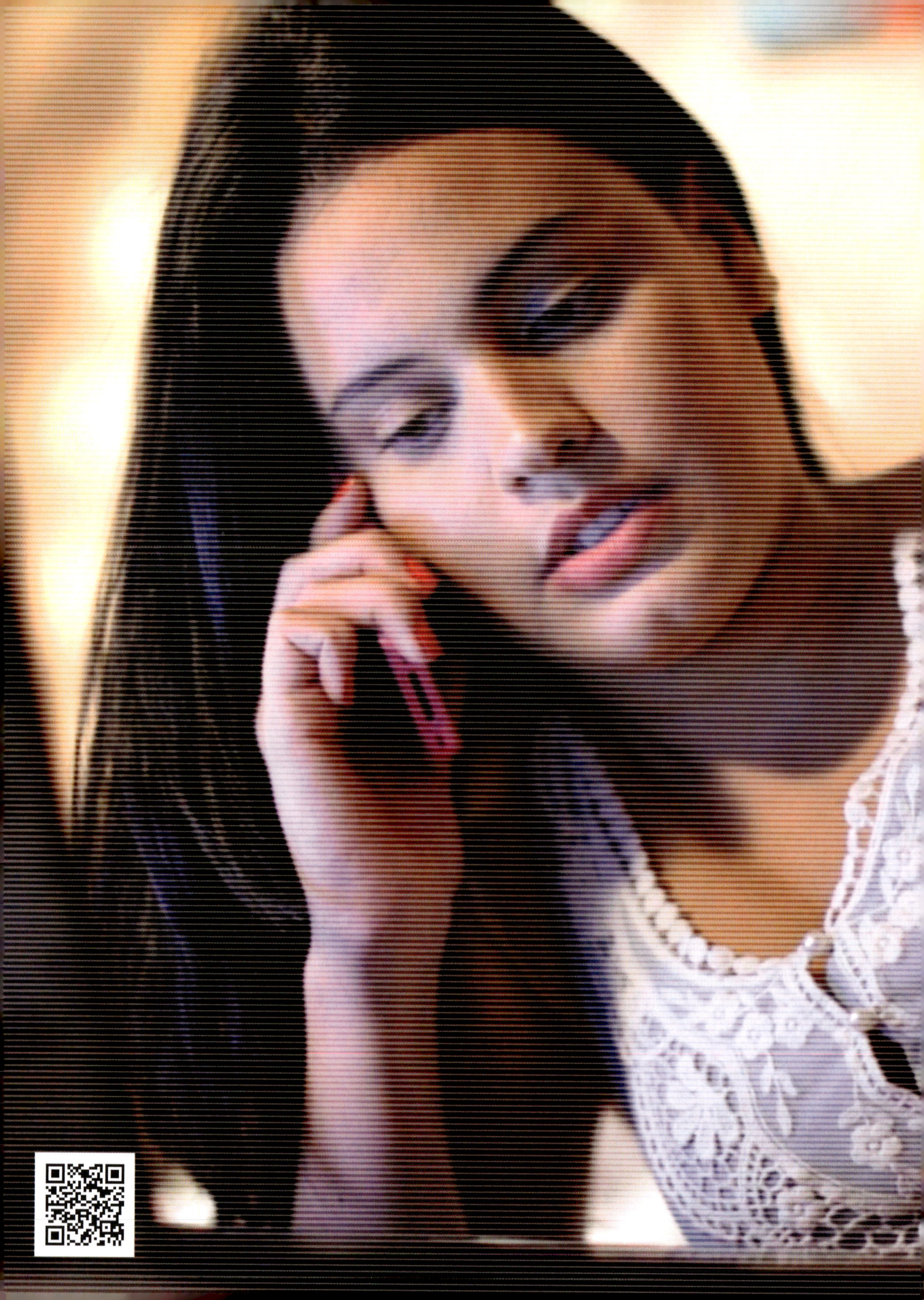

LOG OUT

roteiro ▶ **Antonio Tabet & Fábio Porchat**

A VIDA ON-LINE CONSAGROU, entre outras idiotices, os memes, também chamados por este que vos escreve de "bordões 2.0". Dois deles são "Até quando?" e o "Quem nunca?". Pois é. "Quem nunca" teve de lidar com a angústia de dar mole com o celular, o notebook, o tablet ou o desktop? E aquela incerteza que bate quando você está longe demais de casa pra voltar? E "até quando" homens e mulheres modernos vão enfiar a mão na cumbuca da adrenalina e fazer merdinhas que são bem mais caras e arriscadas que uma simples aula de alpinismo ou pôquer on-line?

"Log out" fala sobre o maior pesadelo do homem moderno: ser ele mesmo. — A.T.

(*Um homem está no escritório, trabalhando diante de um computador, quando o celular toca.*)

AUGUSTO — Oi, amor. Fala rapidinho que eu tô trabalhando.
ALINE — Não, amor, é que você deixou seu Facebook aberto...

(*O homem faz cara de pânico.*)

AUGUSTO (*ainda no telefone, colocando o paletó com pressa e todo desajeitado*) — Ah, foi bom você ter me ligado, que eu tava precisando falar com você realmente. É... faz um favor pra mim, meu amor? Vai na área! Sai daí agora!
ALINE — Na área?
AUGUSTO (*já de paletó e pasta, apertando várias vezes o botão do elevador da empresa*) — É. É que o Fernandes me perguntou se eu tinha um parafuso de aço e precisa ver lá na caixa de ferramentas.
ALINE — Tá. Mas você quer que eu veja isso agora? Você não acabou de falar que tava com pressa?

AUGUSTO (*chamando táxi na rua*) — Não, não. Pode falar! Foi você ligar que deu uma aliviada boa aqui.
ALINE — Tá, tá bom. E o que eu faço com o computador?
AUGUSTO (*pagando o taxista*) — Esquece o computador, Aline! Pelo amor de Deus, deixa ele quietinho aí! Vamos nos concentrar na caixa de ferramentas.

ALINE — Tá bom, Augusto. Eu vou lá na área.
AUGUSTO (*num heliponto, correndo para pegar o helicoptéro prestes a levantar voo*) — Mas tem que ver um por um, tá? É um parafuso muito específico, um parafuso de aço!
ALINE — Ô, Augusto! A caixa de ferramentas não tá aqui.
AUGUSTO (*sinalizando para ônibus no ponto*) — Quê, Aline? Quê?

ALINE — A caixa de parafuso que não tá aqui na caixa de ferramentas, Augusto!

AUGUSTO (*correndo pela rua*) — Ah, é? Aproveita que você tá indo pro banco agora e leva aquelas roupas velhas pro pessoal da igreja, que tal? Separa aí, que tem muita roupa velha no armário…

ALINE — Que banco, Augusto? Eu pago as contas pelo computador há dois anos. Você tá doido?

AUGUSTO (*em frente ao portão de um prédio, estressado*) — Aaah, Aline, não! É um perigo pagar conta pelo computador hoje em dia!

ALINE — Só que, agora, vou ter que pagar on-line porque já fechou o banco às quatro horas, tá? Beijo!

AUGUSTO (*apertando insistentemente o botão do elevador*) — Não, não, não! Beijo, não! Beijo, não! Me conta uma coisa… Você tá onde?

|ALINE| Tá na cozinha? Então conta pra mim quantos azulejos tem na parede do fogão...
—Cento e quarenta.
|AUGUSTO| *(subindo a escada do prédio)* — Cento e quarenta? Como assim, cento e quarenta? Da onde você tirou cento e quarenta?
|ALINE| — Então, Augusto, quatorze em pé por dez deitados dá o quê? Cento e quarenta...
|AUGUSTO| *(desabalado pelo corredor do prédio)* — Não é assim que se conta azulejo, Aline! Você sabe muito bem disso! Tem que contar um a um...
|ALINE| — Por que você tá falando assim?
|AUGUSTO| *(andando na ponta dos pés, abrindo a porta de casa)* — É assim que eu falo... Talvez esteja falando um pouquinho mais baixo porque o Nogueira acabou de entrar na sala e eu tenho que mostrar um certo respeito com o chefe... *(chegando ao computador aberto em cima da cama)* Amor!!!
|ALINE| — Que é, Augusto?!
|AUGUSTO| *(com o computador aberto no YouTube)* — Você falou que o computador tava aberto no YouTube ou no Facebook?
|ALINE| — Sei lá! Facebook, YouTube, Twitter... é tudo a mesma merda...
|AUGUSTO| *(exausto e aliviado, num quiosque na praia, pedindo uma água de coco)* — É, amor. É a mesma coisa...

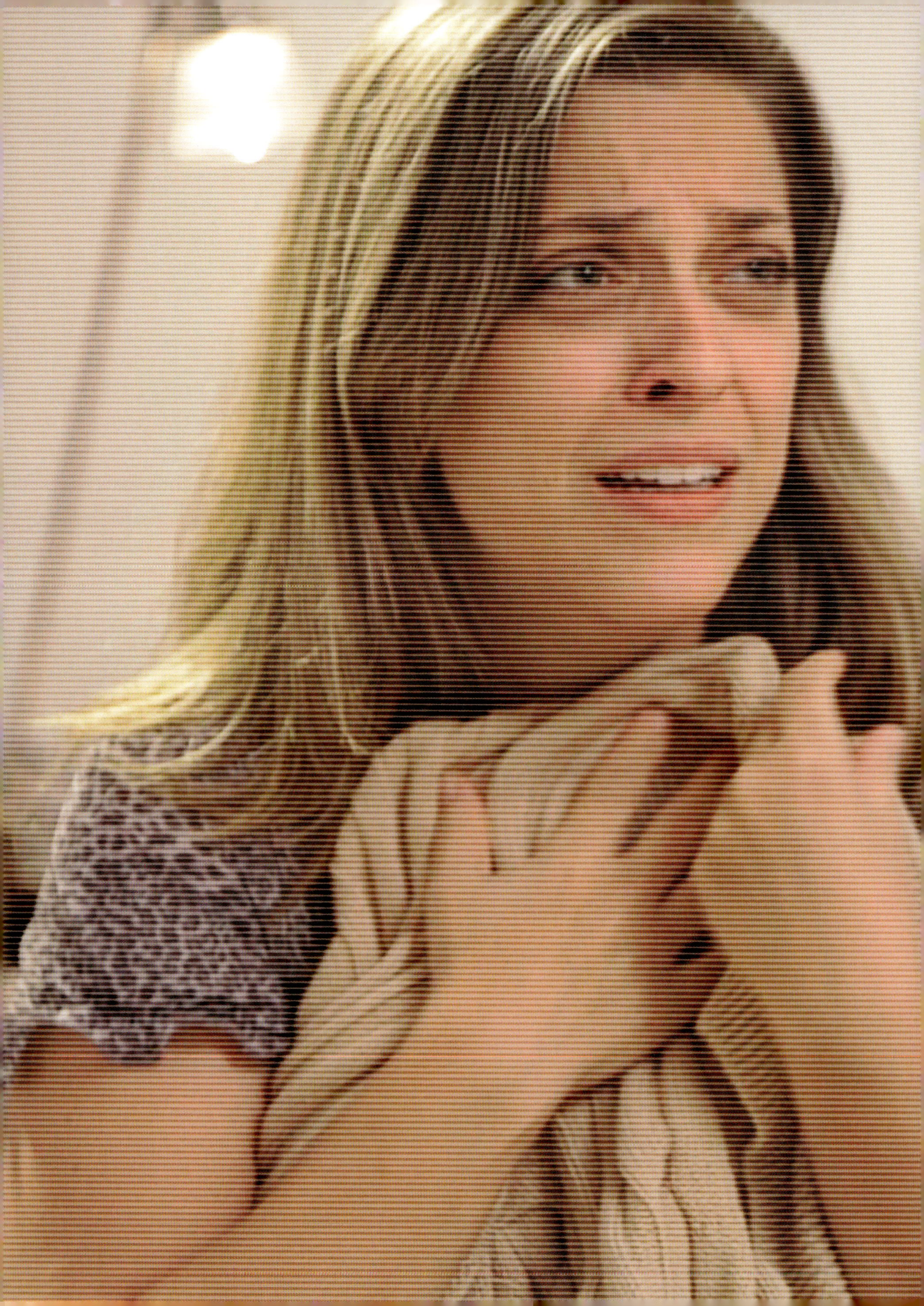

AMANTE

roteiro ▶ Gabriel Esteves

Este roteiro também saiu da subversão de um clichê. Durante um bom tempo, fiquei pensando em formas de zoar a clássica situação de quando um marido flagra a mulher traindo e ela se desculpa com um indefectível "Não é nada disso que você tá pensando!" Insisti muito até que cheguei a uma piada de inversão, botando o amante puto com a mulher por ela ter uma família.

No roteiro original, o final pirava demais. Entrava até cachorro e ainda saía outro amante do armário tirando satisfação com o primeiro: "Que porra é esta aqui???" Resolvemos simplificar. Trocamos o segundo amante por uma empregada e aprovamos o texto.

O engraçado foi o resultado da piada do personal trainer da Smart Fit, academia onde eu malho. Desde o lançamento do vídeo, muitos deles começaram a me olhar de cara feia. — G.E.

(*Ricardo e Cíntia estão transando e nem notam quando Jarbas entra no quarto. Inconformado, Jarbas acende a luz. Os amantes, flagrados, saltam assustados.*)

RICARDO (*nervoso*) — Cíntia, que porra é esta?! O que tá acontecendo aqui?!

CÍNTIA (*aflita, quase aos prantos*) — Calma, Ricardo! Esse é o Jarbas, meu marido. Ricardo, eu posso explicar...

RICARDO — Você não precisa me explicar. Não precisa explicar nada, porque eu já entendi tudo. Eu só gostaria de saber, de entender há quanto tempo que isso existe.

CÍNTIA (*angustiada*) — Vinte anos...

RICARDO (*inconformado*) — Vinte anos... vinte anos desta palhaçada!

CÍNTIA (*beirando as lágrimas*) — Quinze de casada e cinco de namoro... Eu era muito criança quando isso aconteceu! Me perdoa, eu tinha quatorze anos... Acontece!

RICARDO (*irônico*) — Acontece, né... Eu posso entender como acontece, né? Muito provavelmente vocês estudavam juntos, não é? Muito provavelmente você era virgem... (*exasperado*) e muito provavelmente você se apaixonou quando perdeu a virgindade pra ele! (*aponta para Jarbas*)
CÍNTIA (*desesperada*) — Foi, mas...

RICARDO (*gritando*) — Você é uma vagabunda! Você é uma arara aberta!
JARBAS — Amigo, não grita com ela!
RICARDO (*nervoso, gesticulando para Jarbas, com a voz elevada*) — Amigo é o caralho! Me respeita! Que eu sou personal trainer da Smart Fit! (*abaixa o tom*) Eu só queria entender... o que esse homem tem que eu não tenho...

CÍNTIA — Emprego fixo… décimo terceiro… PIS… Bradesco Saúde.
RICARDO — E o nosso sexo?! Rasgado, forte, com baba, com cuspe…
CÍNTIA (*nervosa*) — Você não entende, Ricardo. Eu sou mulher! Eu preciso de muito mais que um carinho, que uma foda gostosa pra viver!

(*Ouve-se a voz da filha ao fundo. Ricardo fica surpreso. Jarbas tenta impedir a filha de entrar, mas é tarde demais.*)

FILHA — Ô, mãe! Cadê minha… Aaah!
RICARDO (*incrédulo*) — Você tem uma filha, Cíntia?
CÍNTIA — Ricardo, isso foi um acidente, a camisinha estourou.
JARBAS — A gente trata como se fosse adotada, Ricardo!

(*A empregada chama Cíntia e também entra no quarto.*)

DILEIDE — Dona Cíntia, o jantar está servido!

CÍNTIA   (*entre os dentes, com raiva*) — Dileide…
Sai, Dileide!
RICARDO   (*inconformado*) — Cíntia, você tem
uma família viva…
CÍNTIA   (*exasperada*) — Não… a gente não se respeita,
a gente não se ama! (*vira-se para Jarbas*)
Jarbas, fala pra ele! Fala pra ele que eu
tô acomodada, fala!
JARBAS   — Eu já transo com ela pensando em
outra, cara…

CÍNTIA   (*desesperada*) — Então…
RICARDO   (*se contendo*) — Posso falar? Eu tenho nojo
de vocês. No-jo…
JARBAS   (*irritado*) — Satisfeita, Cíntia?! (*joga a pasta
na direção de Cíntia*)

(*Cíntia deita na cama chorando copiosamente.*)

DEUS

roteiro ▶ **Fábio Porchat**

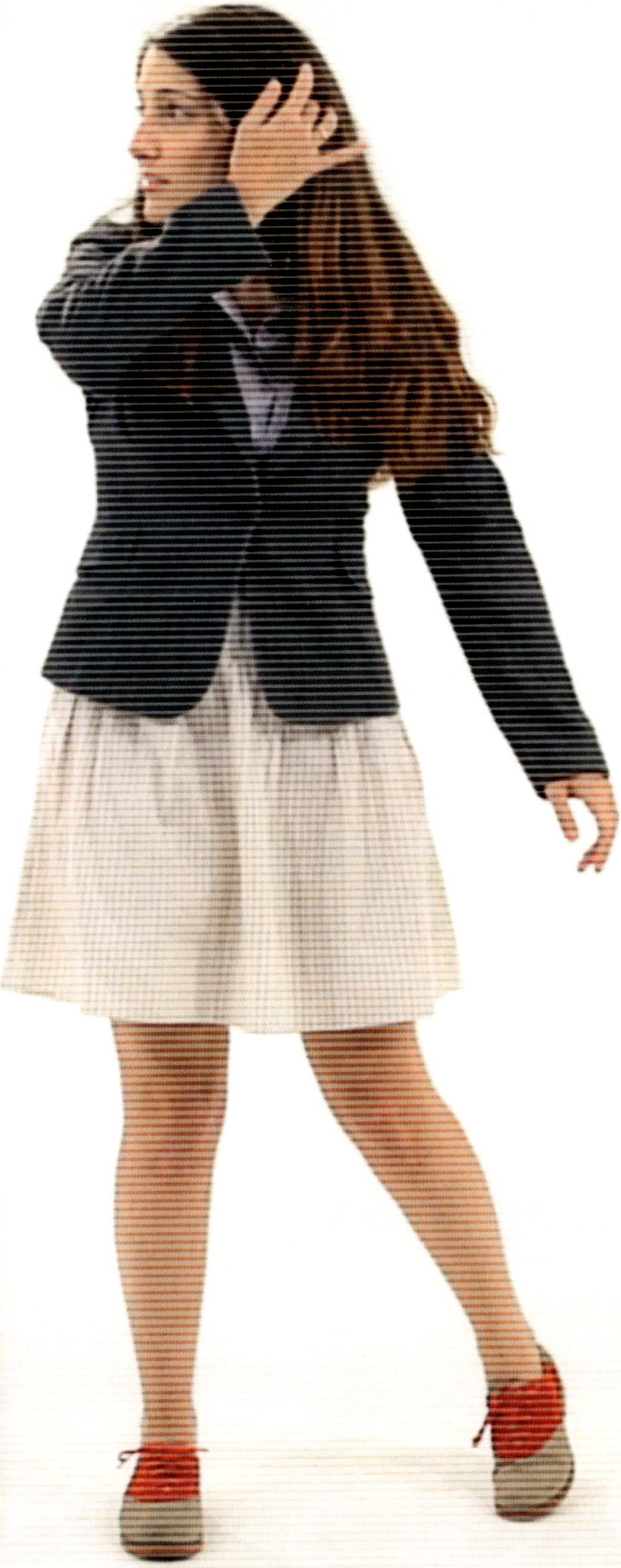

Eu fico impressionado como as pessoas lutam até a morte por conta de ideias que elas nem sabem se são verdadeiras. Só que, se cada um acredita em uma coisa diferente, alguém tem que estar errado! E se, no quesito religioso, por exemplo, forem os polinésios que estiverem certos? E se todos os outros erraram? Católicos, muçulmanos, judeus, não tem pra ninguém. Até eu, que sou ateu, errei e vou arder no infinito com o resto da humanidade.

Gosto também de um Deus que tenha humor. Em nenhuma religião, Deus ri. O Rafael Infante fez um polinésio brilhante, que sabia rir de si mesmo e dos outros. Fiquei muito feliz de ver que a caracterização dele ficou como eu tinha imaginado. Ajudou a contar a história. Eu estava viajando quando o vídeo foi feito, então foi uma grata surpresa ver o esquete pronto. — F.P.

(*Fundo branco. Vazio. Surge uma mulher meio perdida. De repente ela dá de cara com um homem vestido como se fosse de uma tribo polinésia, só de sunga, com o corpo e o rosto pintados de tinta.*)

MULHER — Ai, meu Deus?!

(*Deus chacoalha suas pulseiras.*)

DEUS — Tá perdida?
MULHER — Tô um pouco.
DEUS — Você morreu...
MULHER — Quê?
DEUS — Desencarnou e veio parar aqui...
MULHER — E você é quem?
DEUS — Deus!

(*Mulher olha confusa.*)

DEUS — Sou Deus. Deus, Deus! Muahaha! (*ergue os braços triunfante*)
MULHER — Como assim você é Deus?

DEUS — Ué, assim. Sendo assim! Ó, toda civilização acredita em alguma coisa, não é? Alguma tinha que estar certa, correto? E não é que esse tempo todo quem tava certo era o pessoal da tribo da Polinésia?
MULHER — Caralho...
DEUS — E como você não seguiu à risca nossos dogmas e nossas estruturas linguísticas, vai arder no infinito.

MULHER — Oh! Mas eu não sabia! Eu não sabia que...
DEUS (*interrompendo*) — É o mesmo papo de Gandhi! E ele falou isso e não colou.
MULHER — Como é que eu ia saber que o Deus polinésio era o certo?
DEUS — Você não ia saber. Você escolheu Deus, deixa eu ver aqui... (*pega prancheta*) Judite... *Catholic!* Errou... errou feio, errou rude!

MULHER — E não tem nenhum jeito, assim…
(se aproxima de Deus)
DEUS (afastando-a) — Ah! Não encosta em Deus!
MULHER — … assim pra me redimir?
DEUS — De acordo com a doutrina, se você dançar esfregando o peito e a barriga no chão, você se redime.

(Mulher dança meio sem sentido. Deus ri.)

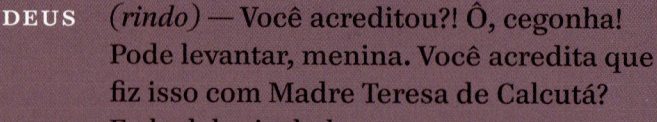

DEUS (rindo) — Você acreditou?! Ô, cegonha! Pode levantar, menina. Você acredita que fiz isso com Madre Teresa de Calcutá? E ela debatia, babava…
MULHER — Então quer dizer que eu fui a missa todo domingo, não traí meu marido, dei meu dinheiro pros pobres e tudo…
DEUS — Otáriaaaa!

MULHER — No Céu só tem polinésio?
DEUS — E Hebe. Camargo. Adoooro.
MULHER — Vem cá, qual é a crença polinésia? Porque lá embaixo ninguém tá sabendo disso.
DEUS — Pois é, o meu povo em terra é... *What I mean, what I mean*... Um pessoal de tribo, mas tenho certeza que, daqui a pouco, a palavra vai chegar a todos os homens.
MULHER — Isso é um absurdo! As pessoas lá embaixo têm que ter o direito de saber o que elas precisam fazer pra...
DEUS (*interrompendo*) — Eu tive essa mesma discussão com João Paulo II, o papa, e não levou a lugar nenhum.
MULHER — Eu vou pro mesmo lugar que Hitler?
DEUS — Tá pensando negativo! Pensa que você vai pro mesmo lugar que Einstein.
MULHER — Tá bom! Posso fazer um pedido?

(*Deus acena positivamente com a cabeça.*)

MULHER — Quando o Malafaia morrer, posso vir dar a notícia? 🏃

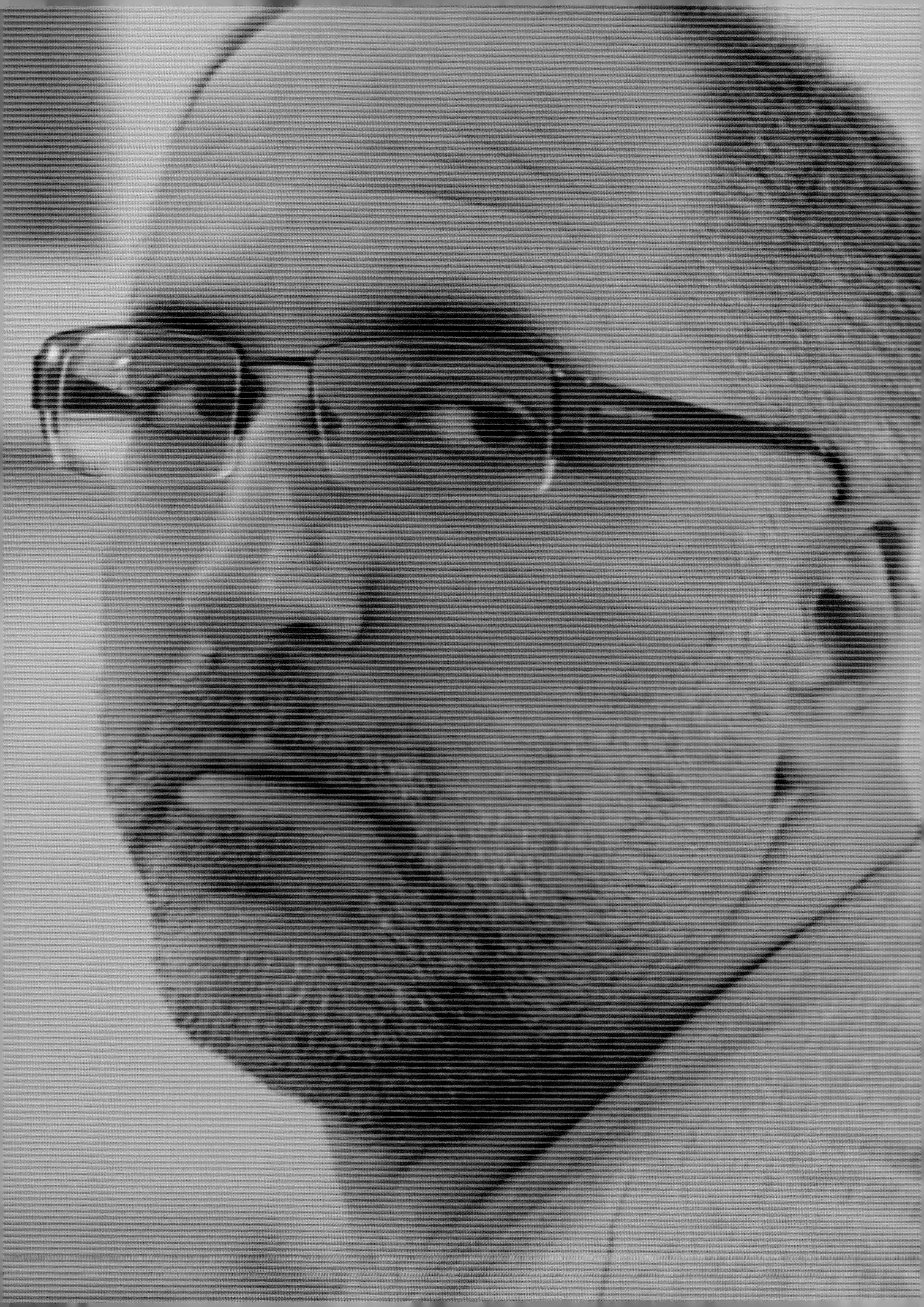

QUEM MANDA

roteiro ▶ Antonio Tabet

CERTA VEZ, ASSISTINDO ao Discovery Channel no escritório do blog do Kibe Loco, no Jardim Botânico, na Zona Sul do Rio, vi um documentário sobre uma espécie de macaco africano cujos testículos são azuis por causa de determinado hormônio. Segundo o programa, quanto mais azul a bolsa escrotal do macaco, maior a força física e a energia sexual dele. Isso acaba sendo comprovado a cada disputa — algumas bastante violentas — entre o macho dominante do grupo e forasteiros que tentam dar suas boladas azuis nas macacas alheias.

Quando vi aquelas cenas, imaginei como seria se tivéssemos os mesmos sinais em nosso corpo para afugentar outros macaquinhos. Escrevi o roteiro sobre a relação pai e filha porque tinha ido almoçar no dia anterior com um amigo, pai de menina, e ele se mostrara apreensivo com o futuro.

Depois que o vídeo foi lançado, passei a ser chamado, sempre de maneira irreverente, de "Bola Azul". O que prova que a natureza é sábia ao não nos fazer com ovos de botequim. — A.T.

(Pai está sentado à mesa, lendo jornal, quando a filha de 15 anos entra em casa com o namorado.)

    FILHA — Oi, paizinho!
    PAI — Oi, filha.

(Filha beija o pai, que sorri.)

    FILHA — Tudo bem?
    PAI — Tudo bom?
    FILHA — Pai, esse aqui é o Marcelo. Má, eu vou lá dentro trocar de roupa e a gente já sai, tá? Pai... *(ela dá um tapinha carinhoso no braço do pai e olha sorrindo para o namorado antes de sair)*

    PAI — Senta aí, Marcelo.

(Marcelo se senta. Pai dobra o jornal.)

PAI	— Tudo bem?
MARCELO	— Tudo ótimo. E com você?
PAI	— Você, não. Senhor.
MARCELO	— Errr... desculpa. Tudo bem com o senhor?
PAI	— O que você acha? Se você tivesse criado uma princesinha que nem essa nos últimos quinze anos, só para um moleque vagabundo de merda passar o piru nela, como é que você ia estar se sentindo?
MARCELO	— Oi?
PAI	— Mas a minha sorte é que você não é um moleque vagabundo de merda, né, Marcelo?
MARCELO	— Isso. Não. Imagina! Era o que eu ia falar pra você ag...
PAI	— Nem vai querer passar o piru nela, né?
MARCELO	— Oi?
PAI	— Oi? Nem vai querer passar o piru nela, né?
MARCELO	— Não! A gente só tá indo ao cinema...
PAI	— Ah! Cinema.
MARCELO	— É...
PAI	— Que filme? Que horas?
MARCELO	— O novo filme do 007...
PAI	— Não. Você vai ver *Peixonauta*, sessão das quatro. *(entrega os ingressos para Marcelo)* O Walter vai estar na mesma fileira que vocês.
MARCELO	— Walter? Que Walter?
PAI	— Walter. Um cara que trabalha pra mim quando tá de folga no quartel. Você sabe o que é um quartel, Marcelo?
MARCELO	— Sei, sei.
PAI	— Então você já serviu o Exército?
MARCELO	— Não... Eu acabei de fazer 18 anos...
PAI	*(fofo mas irônico)* — Oooh, 18 anos! Sabia que com 18 anos eu já tinha perdido o pai, a mãe, morava e trabalhava numa serraria no Catumbi e já tinha pego sífilis, gonorreia, cancro duro, escoliose, Aids.
MARCELO	— Aids?

PAI — Aids! Você acha o quê? Que garoto de 18 anos vai morar numa serraria no Catumbi porque é maneiro, porque é hippie? *(agressivo)* A vida não é a porra do teu Toddynho gelado, não, moleque!

MARCELO — Sim, senhor.

PAI — Bom... pelo menos, você tem só 18 anos, tá regulando. A Ju costuma trazer uns caras maiores. Pelo menos você tá ali, na idade.

MARCELO — Ela disse que eu era o primeiro namorado dela.

PAI — Ela falou isso pra você?

MARCELO — É. Ela falou pra mim.

PAI — Ela falou mesmo?!

(*Pai gargalha desenfreadamente. Pausa.*)

MARCELO (*rindo constrangido*) — O senhor tá brincando, né?

PAI — Tô com cara de quem tá brincando, seu merdinha? Isso é cara de quem tá brincando? Sabe estas rugas aqui, este cabelo branco, sabe o que é isso? Isto aqui é a luta... isto aqui é marca de guerra, Marcelo.

Eu sou o bastião aqui desta casa. Eu sou um resistente. Sabe por quê? Porque tô querendo fazer essa garota tomar jeito. Querendo achar um cara pra ela. (*enfático*) Um! Pra segurar essa garota. Será que é você? Ela gosta de volume. Afofa o piru aí.

MARCELO — Como assim?

PAI (*demonstrando nele mesmo*) — Mão! Afofa aqui, ó. Assim. Ó, dá uma ordenhada assim. Afofa, afofa o piru. (*gritando*) Afofa o piru, Marcelo!

MARCELO — É que... o saco do senhor saiu pelo lado do short.

PAI (*olha para o próprio saco e depois fixamente para Marcelo*) É... minha bola saiu.

MARCELO — Tá azul...

PAI — É... pintei minha bola de azul.

MARCELO — Por que o senhor fez isso?

PAI — Discovery Channel. Macaco com bola azul manda na porra toda! E quem é o macho dominante aqui desta casa, Marcelo? Fala pra mim, quem é?

MARCELO — É o senhor.

PAI — Ééé! Eu sou o gorilão da bola azul! E, você, você é o macaquinho que quer entrar no bando, não quer? Você quer comer a filha do gorila, não quer? Não quer, Marcelo? Eu tô vendo que a bola azul precisa de uma demão. O azul tá descascando, tá saindo. Então, pega a tinta azul, vai, macaquinho, e vem passar aqui na bola do macaco-rei, vai! Vai, porra! Pega a tinta, vai!

(*Marcelo sai correndo do apartamento, batendo a porta. Pai se recompõe e volta a ler o jornal.*)

FILHA (*grita de dentro do quarto*) — Ô, manhê! Meu esmalte azul tá cheio de cabelinho de novo!

ENTREVISTA

roteiro ▶ **Gregorio Duvivier, Antonio Tabet & Gabriel Esteves**

DE EMPREGO

> **H**OJE EM DIA, com as chamadas dinâmicas de grupo, as entrevistas de emprego deixaram de ser um simples bate-papo e se tornaram uma espécie de gincana performática. Quer dizer, isso foi o que me disseram, já que nunca participei de nenhuma.
> Ator não faz entrevista de emprego, ator faz teste (em geral, muito mais vergonhosos que qualquer entrevista de emprego). A primeira versão do texto era minha e terminava onde hoje é o meio do vídeo. A versão posterior, de Kibe e Esteves, levou a loucura adiante e acrescentou as referências pop.
> — G.D.

(Clima tenso de entrevista de emprego. Candidato, nervoso, senta-se à frente do entrevistador.)

CHEFE — Opa, tudo bom? Vamo começar uma entrevista aqui, rapidinho. Marcos, né?
CANDIDATO — Marcos...
CHEFE — Marcos, quantos anos de experiência você tem na área?
CANDIDATO — Cerca de dois anos de experiência na área.
CHEFE *(anotando)* — Dois anos... tá. Tô vendo aqui que você tem inglês fluente...
CANDIDATO — Isso! Inglês fluente.
CHEFE *(segue anotando)* — Ótimo...
CANDIDATO — Espanhol regular...
CHEFE — Bom... tá. *(cessa as anotações)* Pensa rápido!

(Chefe joga uma caneta na direção do candidato. Ele a pega no ar. O chefe parece satisfeito.)

CHEFE — Muito bom! É... se você fosse um animal, que animal seria?
CANDIDATO *(prontamente)* — Um leopardo.
CHEFE — Por que um leopardo?
CANDIDATO — Porque o leopardo é arrojado, rápido, e ele defende o grupo.

CHEFE   (*impressionado*) — Ó! Você já veio preparado, hein... E se eu estivesse apontando uma arma pra cara desse leopardo?

(Chefe aponta uma arma imaginária.)

CANDIDATO   — Esse leopardo, por acaso, subiria em uma árvore.
CHEFE   — E se meu amigo caçador estivesse esperando por esse leopardo...?
CANDIDATO   (*interrompendo*) — Que amigo caçador? O que eu acabei de comer? (*imita um rosnado*) Roar!

E... o leopardinho (*levanta e faz um mise-en-scène, como se fosse um felino se aproximando do chefe*) tá descendo da árvore, hein...
CHEFE   (*empunhando a "arma"*) — Eu continuo armado, leopardo! Aqui, ó!
CANDIDATO   — E o que seria aquilo ali atrás?! Seria minha alcateia que veio me defender?
CHEFE   — Hã, curioso! Alcateia é coletivo de lobos.
CANDIDATO   — Mas eu tenho contato com lobos. (*uiva*)
CHEFE   — Ah, é?! E será que lobos enfrentam armas? Porque tô apontando minhas armas pros seus lobos...

CANDIDATO — A arma que você esqueceu de carregar, é? Que erro básico.
CHEFE — Eu tô carregando, ó.
CANDIDATO (*vai na direção do chefe e tira "arma" da mão dele*) — Peguei a arma!
CHEFE — Peraí! Você não pode pegar uma arma. Você é um leopardo!
CANDIDATO — Quem disse que eu sou um leopardo?
CHEFE — Você disse!
CANDIDATO — Eu sou um ThunderCat! Hooooo! (*faz pose de guerreiro e tenta espetar o cabelo pra cima como Lion-O*) Tanaranam!

CHEFE — E ThunderCats, por acaso, se teletransportam?
CANDIDATO — Como assim?
CHEFE — Assim, ó!

(*Chefe corre para o outro lado da sala, fazendo som de efeito especial com a boca.*)

CANDIDATO — Pena que você se teletransportou para Mordor!
CHEFE — Pra Mordor?! Mas eu tenho o anel. Ops! Fiquei invisível!
CANDIDATO — O Wolverine sempre acha quem ele quer! (*faz "snikt!" com a boca e simula farejar*)

CHEFE — Idiota! Suas garras não passam pelo meu campo de força. (*faz barulhos simulando um campo de força*)

(*Candidato tenta "quebrar" a barreira com suas "garras", mas não consegue.*)

CHEFE — O meu anel também é da Tropa dos Lanternas Verdes. Deu ruim pra você! E aí?
CANDIDATO — *Touché*! Seu anel não tem poder sobre mim, porque o meu vestido é amarelo.
CHEFE — Que vestido?
CANDIDATO — Eu sou (*faz gesto de tirar máscara e passa a falar com voz feminina*) Pandora, a elfa, e eu estou seduzindo você!
CHEFE (*põe as mãos sobre os olhos*) — Eu não estou vendo você!
CANDIDATO — E meu canto de sereia, que te corrói por dentro? Ooooooooohhh...
CHEFE (*tapa as orelhas, como se estivesse sofrendo*) — Desgraçada! Ardilosa! Pare!
CANDIDATO — O que é isso escorrendo do seu nariz, hein?! É sangue? Tem alguém com hemorragiazinha interninha, é?!
CHEFE (*limpa o "sangue" do nariz*) — Eu invoco o encantamento de Agamoto... Argh!
CANDIDATO — Tarde demais, Doutor Estranho. Os outros Vingadores já estão na Terra Selvagem. Hadouken!!!

(*Candidato manda um poder e chefe fica em pé, grogue, balançando.*)

CHEFE (*imitando voz do Mortal Kombat*) — Finish him!
CANDIDATO (*tapando a boca*) — Fatality!

(*Chefe cai para o lado. O candidato se senta na cadeira dele.*)

CANDIDATO — Próximo! 🏃

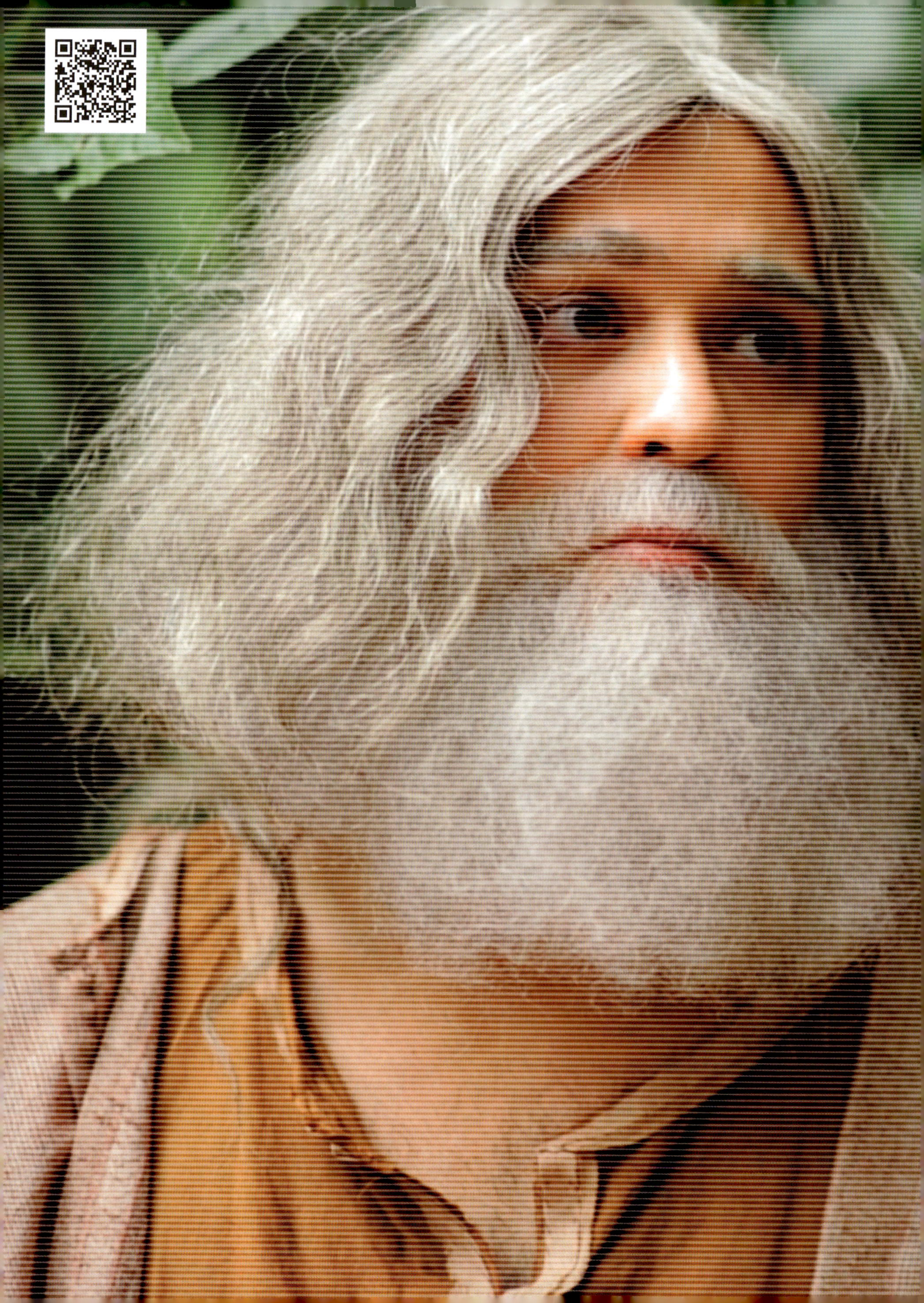

ARCA DE NOÉ

roteiro ▶ Fábio Porchat

EU SEMPRE PENSO em como as coisas acontecem. Nada na vida é tão simples como num filme. As coisas dão errado, são difíceis de se realizar. Pensando nisso, me veio a ideia de brincar com o Noé. Sempre fiquei intrigado em saber como aqueles bichos todos entraram na arca e depois conviveram pacificamente. Afinal, leão come zebra, sapo come mosquito, urso come coelho... E a família de Noé, como lidou com tudo isso?

Como a história é contada pelos vencedores, pensei que Noé podia ter tirado proveito de uma situação bem particular. Já que o mundo ia acabar mesmo e todo mundo ia morrer, menos ele e sua família, pra Noé não seria nada de mais se um pessoal se arriscasse pra botar pra dentro da arca uns bichos que ninguém tem muita coragem de enfrentar. Noé também pode ter dado o jeitinho dele.

— F.P.

(Floresta. Noé e dois amigos caminham por entre as árvores. Noé olha para os lados, nervoso. Paulo e Djair estão com uma lança e uma corda na mão.)

PAULO — Gente, cuidado aí que essa pedra é perigosa, viu?
NOÉ — Só não faz barulho porque pode assustar... tudo... né?
PAULO — Oi?!

(Djair e Noé indicam que Paulo deve fazer silêncio.)

NOÉ — Vocês podem pegar esta reta aqui, que o caminho é exatamente este.
PAULO — Noé, você tem certeza disso?
NOÉ *(preocupado)* — Certeza absoluta! Foi Deus que falou.
DJAIR — Mas Deus falou o quê? "Pega Paulo e Djair e leva lá" ou foi uma coisa mais em aberto...
NOÉ — Não. Ele chegou pra mim e falou "Noé!", porque é assim que Deus fala,

"Noé! Você pega Paulo e Djair, que são as pessoas certas pra pegar o casal de ursos e levar pra arca que Noé está construindo…" Noé, neste caso, sou eu, Paulo e Djair, vocês, então, essa parte ficou clara…

PAULO (*feliz*) — Mas Ele falou os nossos nomes, é?
NOÉ — Falou. E ainda disse que vocês são legais.

(*Rugido de urso. Noé se assusta e dá pinta.*)

NOÉ — Ah! Maldito! Maldito! Pode pegar! Pega e mata! Pode matar!
DJAIR — Mata?!
NOÉ — Não! Não pode matar. Matar é só uma maneira de falar. É só pra pegar que depois a gente resolve o que vai fazer. Eu queria que vocês fizessem logo isso porque já tô ouvindo uns relâmpagos lá pro lado de Israel.
DJAIR — Ali, ó! Tá vendo?
PAULO — Ali! Dá pra ver que é um urso.

NOÉ — Matou a charada. Você é bem esperto. Já identificou os animais. Agora vocês podem ir porque eu vou ficar aqui na árvore.
PAULO — Oi?!
DJAIR — Como assim?!
NOÉ — É porque, caso aconteça alguma coisa a vocês, eu já posso intervir junto a Deus.
DJAIR — Mas, se acontecer alguma coisa, é melhor você estar aqui embaixo com a gente, não?

NOÉ — Aí, o acordo não é esse. O acordo sou eu na árvore e vocês mata adentro.
DJAIR (*desconfiado*) — Tá. Só esclarece aqui um negócio... Porque Deus é o cara que criou tudo, né? Criou eu e você... Então, se Deus quer colocar todos os bichinhos na arca, por que Ele não bota uma rampa e vem a voz Dele dizendo: "Ursos! Vão pra arca! Girafas..."
NOÉ — Primeiro que Deus não fala assim, né? E, segundo, não acho bom contestar Deus...

DJAIR — Mas aí fica ruim pra gente, né? Porque são dois ursos e só temos isto aqui. *(mostra lança e corda)*

PAULO — Calma, Djair, nós não podemos ir achando que vai dar errado. Mas vamos dizer que aconteça o pior. Nós seremos conhecidos como os homens que capturaram os ursos, vamos entrar pra história!

DJAIR *(para Noé)* — Mas você vai botar nosso nome lá no negócio? No livro lá?

NOÉ — Eu prometo a vocês! Eu quero me comprometer com vocês que vou colocar os seus nomes no livro lá.

PAULO — Não vai ser a "Arca de Noé" só, não?

NOÉ — Não! Se quiser, até ponho assim: "Paulo & Djair apresentam."

DJAIR — Anota aí porque Djair é com "d" mudo.

PAULO — Mas, Noé, antes da gente ir, só por precaução. Você acha que só esta corda aqui... dois ursos... resolve?

NOÉ — Ah, dá vazão, sim! Vai sobrar corda...

(Paulo e Djair olham pra baixo, não muito confiantes. Depois de hesitar, eles decidem ir.)

DJAIR — Então é isso, né? Vamo lá... Bom, é melhor ele ir na frente já que ele tá com a corda.

PAULO — Se Noé falou que resolve com esta corda, eu vou na frente.

DJAIR — Então, de repente, eu nem vou.

PAULO *(para Djair)* — Mas é legal você ir também pra ajudar a puxar.

NOÉ — O importante agora é vocês irem.

PAULO — Então, bora, Djair.

DJAIR — Vamos juntos. Você vai na frente e eu vou muito atrás.

NOÉ — É bom vocês irem, porque vocês são dois, e são dois ursos, aí é empate.

DJAIR *(para Noé)* — Aquele abraço, viu?

NOÉ — Merda pra vocês, hein!

A VIDA COMO ELA É

roteiro ▸ Fábio Porchat

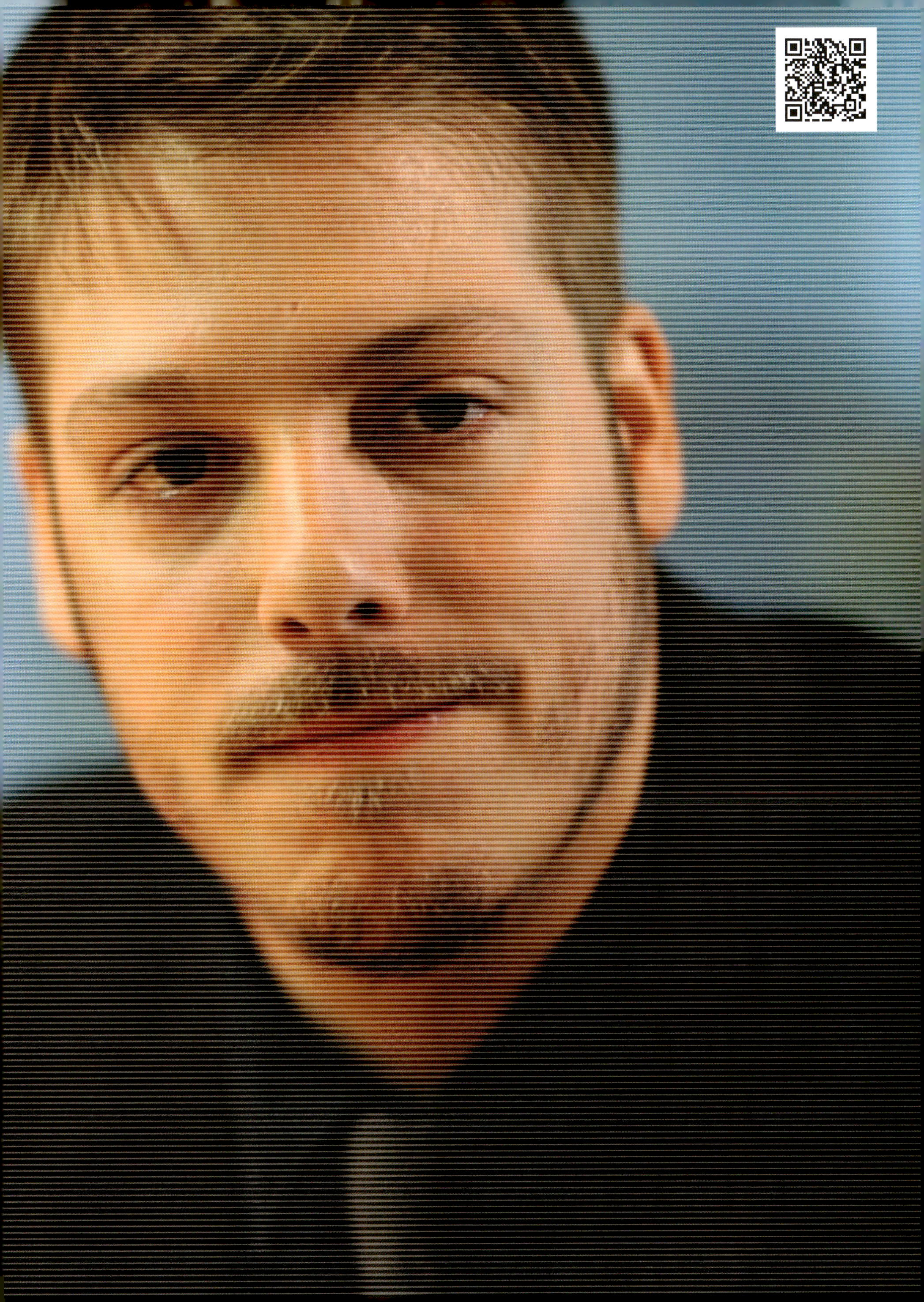

> QUANDO EU ERA PEQUENO, meu pai sempre me dizia: "Fabinho, a vida não é bem assim…" Só que ele nunca explicava como era a vida. Qualquer coisa que eu falasse, ele vinha com o "Fabinho, a vida não é bem assim…" Isso virou piada entre a minha irmã, Alice, e eu. Pra tudo a gente se olhava e repetia o bordão do meu pai.
>
> Já mais velho, conheci tipos que sempre vêm dizer que eles, sim, já viveram a vida, que sabem que a vida é cascuda, que começaram a trabalhar aos 12, saíram de casa aos 15 e aos 20 já eram chefe.
>
> Eu odeio essas pessoas que sabem, ou acham que sabem, coisas que você nem desconfia porque você não viveu a vida como elas viveram. Resolvi mostrar então o ponto de vista de um babaca sem noção, que só usa referências constrangedoras pra explicar a vida como ela é.
> — F.P.

(*Sala de reunião de uma empresa. Lacerda está sentado na cabeceira da mesa, comandando a reunião. Os outros executivos sentam à sua volta.*)

LACERDA (*exaltado*) — Gente, eu quero iniciativa! Eu quero ideias, quero sugestão! Eu quero vocês com uma pegada. (*enfatiza "pegada" com gestos*) Vocês tão achando que a vida é moleza! Vocês tão achando que a vida é aquela balançada mole (*gesticula*) que dá de vez em quando pra dar uma enrijecida, gente! O que que é isso?!

EXECUTIVA (*contida*) — Bom… a gente podia investir esse dinheiro em fundos de longo prazo…

LACERDA (*balançando a cabeça*) — Não! Não! É exatamente isso que tô falando! Você é muito ingênua! Você tem uma ingenuidade… Você sabe o que que a vida faz com gente ingênua? Ela estroça (*soca a palma da mão*) a cara de quem é ingênuo. (*eleva a voz*) Minha camaradagem, a vida não é assim!

A vida não é esta piroca dura, cabeçuda que tu chupa, dia sim, dia não, quando tua mãe sai pra ir à feira... Não é! A vida é um cu preto... já sem as pregas, que um dia foi rosado e hoje só toma *(simula socando a mão)* estocada de caralho murcho!

(Vislumbre no executivo 1, claramente constrangido.)

EXECUTIVA	*(cabisbaixa)* — Desculpa...
LACERDA	— Não é desculpa! É vocês acordarem pra vida! Eu sou vivido... Vocês tão achando que a vida é um saco de velho: cinza, bolotudo, que faz ploc-ploc na coxa quando ele sai caminhando pra ir à padaria pra comprar mortadela... A vida não é isso, não!... A vida é um mamilo do tamanho de um cream-cracker, água e sal, já todo rachado na biqueta, de tanta mamada que levou, cheio de estria por conta da flacidez da mama...

EXECUTIVO 1 *(vira-se para Lacerda)* — E se a gente apostar tudo em ações de alto risco?
LACERDA *(aponta para executivo 1)* — Agora, é isso! *(animado)* É isso que eu queria ouvir! É esse tipo de atitude que você tem que ter de frente pra vida…

(Executivo 2 olha para baixo, encabulado.)

LACERDA — Quando a vida bater na tua porta, não adianta você receber ela com a atitude de um mendigo currado no meio-fio, bêbado, já com a perna toda atrofiada, com a cara cheia de porra de adolescente que queima índio… *(exaltado)* Não é! A tua atitude em relação à vida tem que ser de uma dominatrix com um grelo do tamanho de um mamão papaia…

(Executivo 2 não consegue esconder o constrangimento.)

LACERDA — … já toda esbeiçada e com as bordas dos grandes lábios escurecidas por conta de uma vida sexual ativa e desvairada!

(Enquanto Lacerda está terminando seu ponto, um homem se aproxima da sala. Ele entra, interrompendo-o. Os participantes da reunião olham para a porta. Ao ver a figura, Lacerda levanta e se recompõe, ajeitando o terno.)

PRESIDENTE — O que está acontecendo aqui?
EXECUTIVA *(sorrindo irônica)* — Não, seu presidente, é que o Lacerda tá aqui explicando pra gente como é que é a vida…

(Lacerda olha para o presidente e sorri nervoso.)

PRESIDENTE — E como é que é a vida, Lacerda?
LACERDA *(sorrindo amarelo)* — A vida…

(Executiva fita Lacerda com um olhar sarcástico e levemente desafiador. Lacerda ajeita as mangas do terno, nervoso, e olha à sua volta.)

LACERDA *(começa a cantar)* — … é bonita! É bonita e é bonita! *(pega as mãos da executiva e do executivo 1 e as levanta. A executiva parece impaciente)* Viveeeer! E não ter a vergonha de ser feliz! O quê? Cantar e cantar e cantar a beleza de ser um eterno aprendiz… 🏃

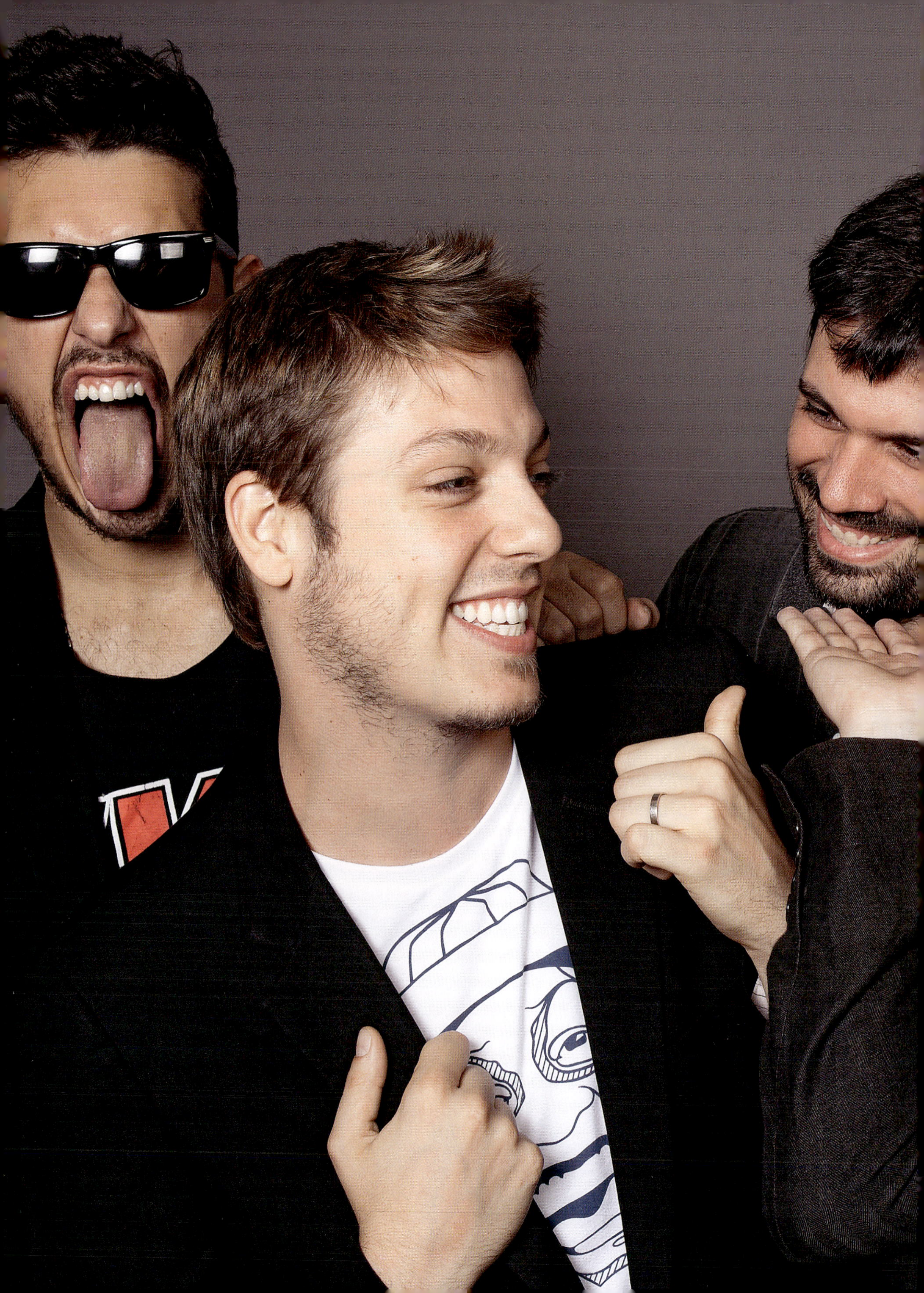

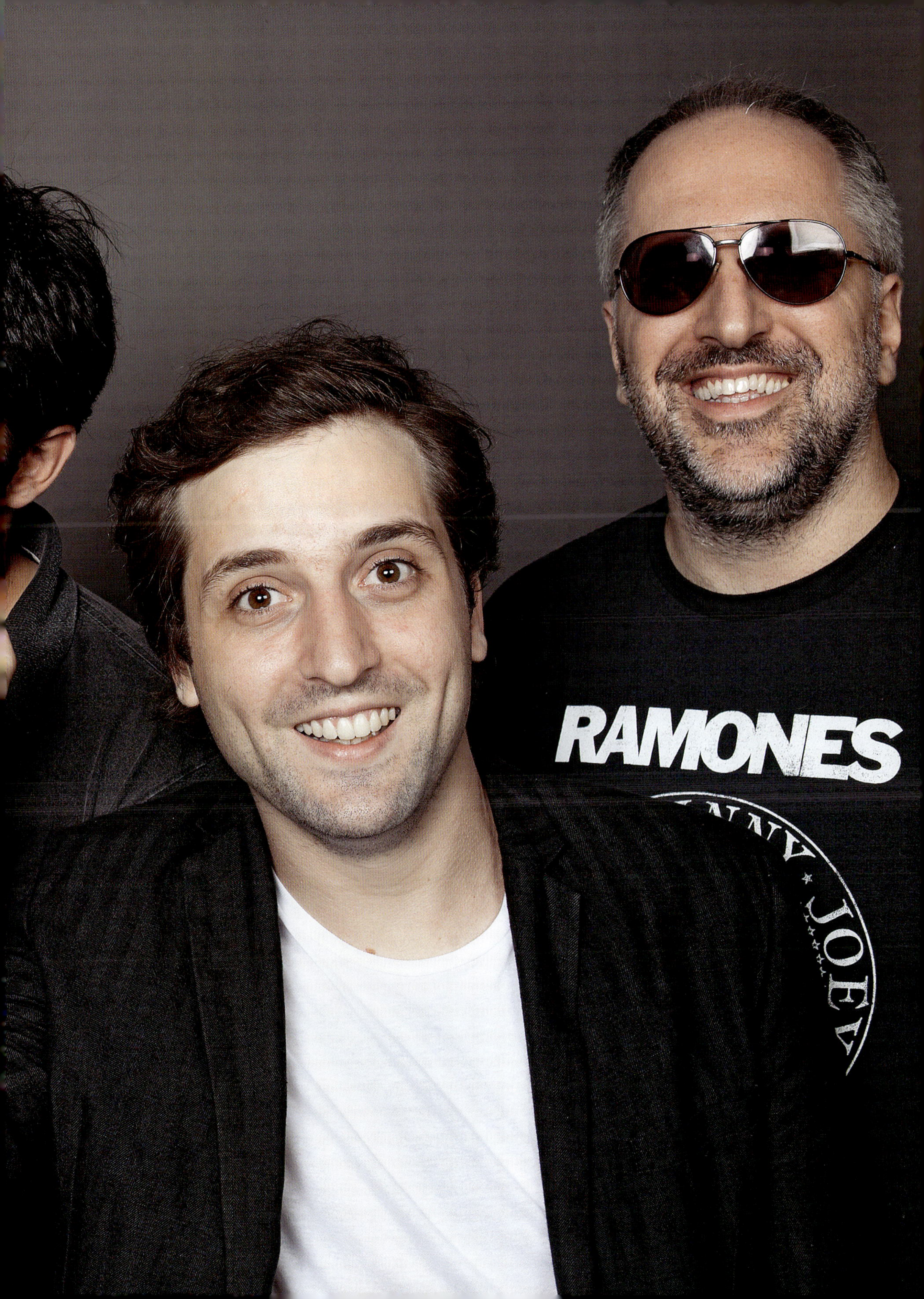
RAMONES

FUNDOS DA PORTA

ANTONIO PEDRO TABET é sócio-fundador, roteirista e ator do Porta dos Fundos e criador do site Kibe Loco, o blog mais popular do país. O publicitário carioca foi consultor artístico do *Caldeirão do Huck* (Rede Globo) e um dos autores do livro *Humor vermelho* (Usina de Letras). É bicampeão do Prêmio iBest, venceu um VMB (MTV) pelo webhit "Dança do quadrado", ganhou o prêmio The Bobs (Deutsche Welle, Alemanha) como melhor blog de língua portuguesa, um prêmio Colunistas e foi considerado um dos 100 brasileiros mais influentes do país pela revista *IstoÉ*.

FÁBIO PORCHAT é sócio-fundador, roteirista e ator do Porta dos Fundos. Formado como ator pela CAL (Casa das Artes de Laranjeiras), trabalha na Rede Globo desde 2006, onde passou por programas como *Junto & misturado*, *Esquenta!* e *A grande família*. Começou a fazer humor nos palcos cariocas com shows de *stand-up* e hoje circula com seu solo pelo Brasil e pelo mundo. É colunista do jornal *O Estado de S. Paulo*.

GABRIEL ESTEVES é redator do Porta dos Fundos e um dos principais criativos da empresa. Este carioca de 29 anos só descobriu seu verdadeiro talento há dois anos. Formado em Administração, passou por muitos trabalhos que nada tinham a ver com textos ou humor até que, quase por acidente, foi contratado como um dos roteiristas do canal de vídeos Anões em Chamas. Depois de se firmar como redator, foi alavancado a roteirista do Porta, tendo em seu currículo alguns dos maiores sucessos do canal.

GREGORIO DUVIVIER é sócio-fundador, ator e roteirista do Porta dos Fundos. Nasceu no dia 11 de abril de 1986, no Rio de Janeiro. Aos 9 anos entrou no Tablado. Em 2003, estreou a peça *Z.É. – Zenas Emprovisadas*. Publicou, em 2009, o livro *A partir de amanhã eu juro que a vida vai ser agora* (7 Letras). Ganhou o prêmio APTR de Melhor Ator em 2013 pelo monólogo *Uma noite na Lua*. Gregório torce pelo Fluminense e vota no Freixo.

IAN SBF é sócio-fundador, diretor, editor e roteirista do Porta dos Fundos. Começou sua carreira fazendo curtas, entre eles, *O lobinho nunca mente*, que lhe rendeu mais de 30 prêmios nacionais. É fundador do canal Anões em Chamas. Foi redator do programa *Junto & misturado*, da Rede Globo, e também dirigiu séries no Multishow, como *O fantástico mundo de Gregório*.

JOÃO VICENTE DE CASTRO é sócio-fundador, diretor comercial e ator do Porta dos Fundos. Tem 30 anos, trabalhou como redator em várias agências de publicidade e também dirigiu filmes publicitários. Foi roteirista da Rede Globo.

roteiros ▶ **Antonio Pedro Tabet**
Fábio Porchat
Gabriel Esteves
Gregorio Duvivier
Ian SBF
João Vicente de Castro

atores ▶ **Antonio Pedro Tabet**
Clarice Falcão
Fábio Porchat
Gabriel Totoro
Gregorio Duvivier
João Vicente de Castro
Júlia Rabello
Letícia Lima
Luis Lobianco
Marcos Veras
Marcus Majella
Rafael Infante

direção ▶ **Ian SBF**

direção de produção ▶ **Nataly Mega**

produção ▶ **Bianca Caetano**
Marília Tapajoz
Ohana Boy

produção de set ▶ **Alice Ventura**

figurinos ▶ **Juli Videla**

maquiagem ▶ **Andreia Mendonça**
Beatriz Pinaud
Inez do Carmo
Juliana Monteiro
Tânia Mendonça

som direto ▶ **Gustavo Chagas**
Jonas Mourilhe
Leo Bastos

fotografia ▶ **Gui Machado**
João Paulo Casalino
Luka Melero
Vinícius Charret

edição ▶ **Ian SBF**
Luanne Araújo
Rodrigo Brazão
Rodrigo Magal

transcrições ▶ **João Marcos Rodrigues**

portadosfundos.com.br

Copyright © 2013 por Porta dos Fundos Produtora
e Distribuidora Audiovisual S/A

Todos os direitos reservados. Nenhuma parte deste livro pode ser utilizada ou reproduzida sob quaisquer meios existentes sem autorização por escrito dos editores.

edição
Virginie Leite

revisão
Rafaella Lemos
Ana Grillo

projeto gráfico e capa
Angelo Allevato Bottino

assistente de projeto gráfico
Fernanda Mello

pré-impressão
Trio Studio

impressão e acabamento
Geográfica e Editora Ltda.

CIP-BRASIL. CATALOGAÇÃO NA PUBLICAÇÃO
SINDICATO NACIONAL DOS EDITORES DE LIVROS, RJ

P876

    Porta dos Fundos / Porta dos Fundos; Rio de Janeiro: Sextante, 2013.
    il.; 19 x 25 cm

    ISBN 978-85-7542-964-8

    1. Humorismo brasileiro. I. Porta dos Fundos (Grupo humorístico).

13-02513   CDD: 869.97
                                               CDU: 821.134.3(81)-7

Todos os direitos reservados, no Brasil, por GMT Editores Ltda.
Rua Voluntários da Pátria, 45 / 1.404 – Botafogo
22270-000 – Rio de Janeiro – RJ – Brasil
Telefone: (21) 2538-4100 – Fax: (21) 2286-9244
E-mail: atendimento@esextante.com.br
www.sextante.com.br

Informações sobre os próximos lançamentos

Para saber mais sobre os títulos e autores da
Editora Sextante, visite o site www.sextante.com.br,
curta a página facebook.com/esextante e siga @sextante no Twitter.

Além de informações sobre os próximos lançamentos,
você terá acesso a conteúdos exclusivos e poderá participar
de promoções e sorteios.

Se quiser receber informações por e-mail, basta cadastrar-se
diretamente no nosso site ou enviar uma mensagem
para atendimento@esextante.com.br

www.sextante.com.br

facebook.com/esextante

twitter: @sextante

Editora Sextante
Rua Voluntários da Pátria, 45 / 1.404 – Botafogo
22270-000 – Rio de Janeiro – RJ – Brasil
Telefone: (21) 2538-4100 – Fax: (21) 2286-9244
E-mail: atendimento@esextante.com.br